heile**Welt**

Sammlung Schmidt-Drenhaus · Kupferstich-Kabinett Dresden

heile**Welt**

Werke aus der Sammlung Schmidt-Drenhaus im Kupferstich-Kabinett Dresden

STAATLICHE
KUNSTSAMMLUNGEN
DRESDEN

KERBER VERLAG

Inhalt

Vorworte

Zeitgenössische Kunst ist von jeher ein Schwerpunkt in der Ausstellungsarbeit des Kupferstich-Kabinetts. Im Rahmen dieser Ausstellungen sollen in den nächsten Jahren in loser Folge Dresdner Sammler und Sammlungen vorgestellt werden. Am Anfang steht die Sammlung Schmidt-Drenhaus. Sie ist beispielhaft für das Engagement von privaten Kunstsammlern, der internationalen Gegenwartskunst in Dresden wieder einen hohen Stellenwert einzuräumen.

Schon vor dem Zweiten Weltkrieg war Dresden eine Stadt der Sammler und Mäzene. In der Ausstellung »Von Monet bis Mondrian«, die im Herbst 2006 von der Galerie Neue Meister in Zusammenarbeit mit dem Kupferstich-Kabinett eröffnet werden wird, soll dieses Kapitel Dresdner Kunstgeschichte näher untersucht werden: Johann Friedrich Lahmann, Woldemar von Seidlitz, Oscar Schmitz, Ida und Fritz Bienert, Prinz Johann Georg von Sachsen, August Lingner, die Familie Arnhold, Adolf Rothermundt und andere waren Protagonisten eines hochentwickelten Sammlerwesens. Gesammelt wurden nicht nur die alten Meister, sondern bevorzugt auch zeitgenössische Kunst. Besonders die Sammlung Bienert legt Zeugnis ab, dass Dresden im deutschen Kontext einen bedeutenden Platz einnahm, der so gar nicht dem traditionsverliebten, stets an der Vergangenheit orientierten Bild entspricht, das man sich von dieser Stadt gerne macht.

Will Grohmann – vor und nach dem Krieg einer der wichtigsten Wegbereiter junger Kunst in Deutschland – veröffentlichte noch im Sommer 1933 als Band 1 seiner Reihe »Privatsammlungen neuer Kunst« eine Dokumentation mit dem Titel »Die Sammlung Ida Bienert Dresden«. Diese liefert ein großartiges Zeugnis für die Sammelleidenschaft und den hohen Qualitätsanspruch der Bienertschen Sammlung, die sich nach dem Krieg aufgelöst hat. Ein Schwerpunkt lag auf den konstruktivistischen und suprematistischen Tendenzen: Malewitsch, Mondrian, Moholy-Nagy und El Lissitzky. Auch Cézanne, van Gogh, Gauguin, Redon, Monet und Renoir, die damals als modern galten, waren in herausragenden Beispielen vertreten. Eingang in die Sammlung fanden aber ebenso Pablo Picasso, Marc Chagall und Franz Marc. Mit Kokoschka, der von 1918 bis 1924 an der Dresdner Kunstakademie als Professor wirkte, pflegten Bienerts eine persönliche Freundschaft; noch enger waren sie mit Paul Klee verbunden und auch Emil und Ada Nolde besuchten das Ehepaar Bienert immer wieder in ihrem Haus an der Würzburger Straße.

Auch die Familie Arnhold baute eine qualitätvolle Sammlung auf, die den Sinn für das »Alte Dresden« mit dem Verständnis für die Gegenwart verband. Hans Arnhold beispielsweise besaß eine bedeutende Kandinsky-Sammlung, während Heinrich und Lisa Arnhold neben ihrer berühmten Sammlung mit Meissner Porzellan bevorzugt Werke von Ernst Barlach, Nolde, Kokoschka, Chagall und Käthe Kollwitz sammelten.

Stets gab es einen engen Austausch zwischen den Sammlern und den herausragenden Museen in der Stadt, vor allem dem Kupferstich-Kabinett und der Gemäldegalerie. Oscar Schmitz etwa gründete 1918 den Verein der Dresdner Galeriefreunde, der sich seit 1925 Patronatsverein nannte; neben der Pröll-Heuer-Stiftung und dem Dresdner Museumsverein war dies die dritte Organisation zur Unterstützung der Galerie. Der selbstverständliche Umgang zwischen Sammlern und Museen fand sogar in der Literatur seinen Niederschlag. In der berühmten Erzählung »Die unsichtbare Sammlung« von Stefan Zweig heißt es z.B.: »... *Sie sind der erste in all diesen Jahren, seit der frühere Vorstand des Dresdner Kupferstichkabinetts tot ist, dem er seine Mappen zu zeigen meint.*«

Privates Sammeln hat in der Nachkriegszeit seine Fortsetzung gefunden, wenn auch unter ungleich komplizierteren materiellen und ideologischen Bedingungen. Doch weiterhin waren es die Museen, die im lebendigen Austausch mit den Sammlern davon profitiert haben. Man ist erstaunt, wenn man sieht, was Sammler wie Wolfgang Balzer, Fritz Löffler, Louise und Johannes Reiher, Johanna Hegenbarth, aber auch Joachim Meier, Gerhard Ziller, Hildegard »Faustina« Richter, Renate Glück oder Rudolf Mayer in vielen Jahren zum Beispiel für das Dresdner Kupferstich-Kabinett geleistet haben und noch immer leisten. Dabei fällt auf, dass man zum Teil subversiv gegen die staatlich verordnete Kunstauffassung arbeitete. Auf diese Weise gelang es, den Anschluss an die wirkliche Avantgarde in der DDR zu halten und auch internationale Positionen gelangten in das Museum.

Die Tradition intensiven Sammelns zeitgenössischer Kunst fand in den Jahren nach 1990 eine lebendige Fortsetzung, auch wenn die wirtschaftlichen Bedingungen in Dresden noch immer wesentlich ungünstiger sind als in München, Köln, Frankfurt oder Hamburg. Im vergangenen Jahr zeigte das Kupferstich-Kabinett seine graphischen Werke von Eberhard Havekost, eine in dieser Vollständigkeit einzigartige Sammlung in Deutschland. Sie ist den Brüdern Ralf und Frank Lehmann zu verdanken, die sich zusammen mit dem Künstler Eberhard Havekost entschieden haben, das Kabinett zu einem »Stützpunkt« der Kunst dieses herausragenden, aus Dresden stammenden Künstlers zu machen.

In dieser Ausstellung nun, die den doppeldeutigen Titel »Heile Welt« trägt, wird erstmals die Sammlung Schmidt-Drenhaus einem breiten Dresdner Publikum vorgestellt. Das Ehepaar Doris und Klaus F. K. Schmidt ist kurz nach der politischen Wende aus Köln nach Dresden gekommen und hat hier seinen zweiten Hauptwohnsitz. Was an ihrer Sammlung fasziniert, ist die Aufgeschlossenheit und Vorurteilslosigkeit, mit der sie die Kunst betrachten. Vorrangige Kriterien sind künstlerische Qualität und persönliche Neigung. Unter diesen Voraussetzungen ist eine ausgesprochen individuelle Sammlung entstanden, die auf spezifische Weise internationalen Anspruch und Ortsbezogenheit verbindet. So finden wir junge Künstler, die von Dresden ausgehen und zu nationaler, zum Teil bereits internationaler Anerkennung gelangt sind. Dazu gehören Thomas Scheibitz, Eberhard Havekost, Martin Eder, Markus Draper oder Jan Brokof. Daneben stehen international schon lange herausragende deutsche Künstler wie Georg Baselitz oder Sigmar Polke. Aber auch die heute zu Unrecht weniger aktuellen Positionen von Karl Horst Hödicke, Benjamin Katz, Markus Lüpertz und Helmut Middendorf werden in vorzüglichen Beispielen vorgestellt. Eine große persönliche Neigung zum Schaffen Rosemarie Trockels dokumentiert die Sammlung ebenso wie den Ausgriff in die Aussagenvielfalt der zeitgenössischen Photographie. Hier steht Candida Höfer neben Cindy Sherman, Louise Lawler oder Nina Pohl.

Wir zeigen in dieser Ausstellung weitgehend Werke auf Papier und Photographien. Der Umfang und die qualitative Dichte der Sammlung rechtfertigen es aber, in absehbarer Zeit einen zweiten Teil folgen zu lassen. So können auch die Wurzeln der Sammlung in der klassischen Moderne und ebenso die herausragenden Beispiele der Malerei vorgestellt werden, die für das Sammlungsverständnis von Doris und Klaus F. K. Schmidt ebenfalls von zentraler Bedeutung sind.

Prof. Dr. Martin Roth
Generaldirektor der Staatlichen Kunstsammlungen Dresden

Prof. Dr. Wolfgang Holler
Direktor des Kupferstich-Kabinetts Dresden

»Wir haben in sehr jungen Jahren angefangen, Kunst zu kaufen – ohne jegliche Anleitung, ohne irgendeine Vorstellung, was wir damit erreichen wollten. Es war alles sehr sprunghaft: der zeitgenössisch regionale Künstler hat uns interessiert, aber auch die BRÜCKE-Künstler mit ihren graphischen Arbeiten.«

Kennen Sie noch das Gefühl aus der Jugendzeit, als man getrieben von Neugier, angestachelt von Gleichaltrigen und ermuntert von den Eltern auf den Sprungturm im Schwimmbad kletterte, um vor aller Augen – dieses Gefühl hatte man jedenfalls – vom Fünf- oder Zehn-Meter-Brett zu springen? Neugier, Imponiergehabe, Mut: Fünf Meter über dem Wasserspiegel war nicht mehr viel davon übrig geblieben, und man stellte fest: Ich habe Angst.

Wenn man zum ersten Male seine Sammlung oder auch nur einen Teilaspekt seiner Sammlung unter Offenlegung seines Namens der Öffentlichkeit zur Besichtigung, zur Beurteilung überlässt, dann fühlt man sich auch als Sammler plötzlich in einer recht ähnlichen Situation. Das Angebot des Kupferstich-Kabinetts, einen Teil unserer Arbeiten auf Papier in den traditionsreichen Räumlichkeiten des Dresdner Schlosses ausstellen zu dürfen, ist für uns eine große Ehre und gleichzeitig eine enorme Herausforderung:

Ist die Auswahl der Künstler und der Kunstwerke richtig getroffen?
Ergibt die Hängung den gewünschten Klang?
Fühlen sich die Künstler in der nun geschaffenen Nachbarschaft zu anderen Künstlern wohl?
Kann der Betrachter der Ausstellungsidee folgen?

Nun – der Sprung ist gewagt und getan.

Wir danken allen, die uns dazu ermuntert haben. Wir danken allen, die mit uns ›gesprungen‹ sind, danken für ihre Hilfestellung, für ihre Ratschläge und ihre tatkräftige Unterstützung. Mit Peter Herbstreuth und Frank Lehmann von der Galerie Gebr. Lehmann hatten wir wertvolle Diskussionspartner. Ihnen verdanken wir viele weiterführende Anregungen. Ein großer Dank gilt Johannes Schmidt, der Ordnung in unsere Sammlung gebracht hat und den Katalog maßgeblich verantwortet. Er hat sich mit unseren kuratorischen Ideen auseinander gesetzt, um ein eigenes kuratorisches Konzept zu entwerfen. In langen Gesprächen mit uns hat er aus der Vielzahl der vorhandenen Arbeiten auf Papier die nun ausgestellten Werke unter einem übergeordneten Thema ausgewählt und den gegebenen Raumverhältnissen des Kupferstich-Kabinetts angepasst. In der Beschränkung lag unser sammlerisches Hauptproblem. Wir danken den Staatlichen Kunstsammlungen Dresden, insbesondere Prof. Dr. Martin Roth und Prof. Dr. Wolfgang Holler mit seinem Team vom Kupferstich-Kabinett für die Ermöglichung und Verwirklichung dieser Ausstellung.

Doris und Klaus F. K. Schmidt

»Der Prozess, einen Blick zu entwickeln, ist für uns ein fesselndes Vergnügen,
und das Schöne daran ist das nie endende Bemühen.«

Konsum statt Rezeption: Die Rolle der Kunstsammler

Als ein großes Bankhaus kürzlich einen Workshop für Sammler moderner und zeitgenössischer Kunst veranstaltete, provozierte ein Referent die Teilnehmer. Er stellte ihnen die Frage, warum sie eigentlich so viel Geld für etwas ausgäben, das sie doch fast kostenlos genauso in zahlreichen Museen sehen und studieren könnten. Das sie sogar entspannter betrachten könnten, wenn sie sich nicht eigens darum kümmern und die Last des Eigentümers tragen müssten. Er erhielt daraufhin, nach einem Augenblick irritierten Schweigens, zwei Antworten, die zugleich zwei Typen von Sammlern erkennen ließen. So hoben die einen hervor, es sei ihnen wichtig, Kunstwerke auch berühren, sie spüren zu können – und dazu müssten sie sie besitzen. Die anderen verwiesen darauf, dass sie als Kunstsammler die Chance hätten, mit Künstlern in Kontakt zu kommen, mit ihnen vielleicht sogar Freundschaft zu schließen und so in eine andere Lebenswelt einzutauchen. Geht es den einen also eher um den materiellen Charakter der Werke, suchen die anderen Zugang zu neuen oder exklusiven Erlebnissen. Das heißt natürlich auch: Den einen droht der Vorwurf des Fetischismus, die anderen müssen damit rechnen, als Opfer und Protagonisten der Eventkultur verbucht zu werden.

Beide Antworten verdienen aber auch eine etwas genauere Analyse. So verweist die erste auf eine Einseitigkeit im üblichen Umgang mit Kunst. Spätestens seit der Klassifizierung der Sinne in ›höhere‹ und ›niedere‹, seit also das Sehen und Hören als edler denn das Tasten, Riechen oder Schmecken eingeschätzt wurde, wird gerade Kunst nur mit Augen und Ohren rezipiert. Eine Skulptur aus glattem Marmor oder ein Gemälde mit schrundiger Oberfläche anzulangen, würde – so die Einschätzung – höchstens eine Lust befriedigen, aber keine Erkenntnis vermitteln, könnte stimulierend, aber nicht läuternd, erhebend oder befreiend sein. War diese Auffassung schon in Mittelalter und Renaissance verbreitet, so setzte sie sich im 18. Jahrhundert, als man mit der Kunst nur noch höhere Ansprüche verband, endgültig durch. Es entwickelte sich sogar ein regelrechtes Berührungstabu. Wenn in den Museen Schilder bis heute allenthalben »Berühren verboten!« verordnen, hat das also nicht nur damit zu tun, dass viele Werke darunter litten, falls jeder Besucher sie anlangte, sondern dann drückt sich darin auch jene Sorge aus, die Rezipienten könnten sich einem als ideal angesehenen Modus der Aneignung von Kunst entziehen und vor allem Sinnlichkeit in ihr suchen.

Der Kunstmarkt profitiert von diesem Berührungstabu in Museen: Existierte es nicht, entfiele auch eine Kauf-Motivation; die Preise für manche Werke wären mutmaßlich niedriger. Man könnte das, was Sammler suchen, auch als konsumistische Lust bezeichnen. Ihnen genügt nicht der distanzierte Blick auf etwas Schönes, sondern sie wollen es ›zu sich nehmen‹ wie eine Speise, sich mit ihm entspannen wie mit einer edlen Zigarre, mit ihm ihr Leben und gar ihren Alltag bereichern. Statt ein Kunstwerk als ein öffentliches Gut behandeln zu müssen, dürfen die Sammler es, anders als Museumsbesucher, ganz für sich haben und als Besitz genießen. Sie können es konsumieren, nicht nur rezipieren.

Die zweite Antwort lässt Kunstsammler hingegen als Repräsentanten einer Entwicklung sehen, die der US-amerikanische Philosoph Jeremy Rifkin in seinem Buch »Access« (2000) analysierte. Demnach gilt künftig nicht mehr als besonders reich, wer besonders viele materielle Güter angesammelt hat, sondern wer Zugang – ›access‹ – zu möglichst zahlreichen Informationen und Erfahrungen besitzt und sich in verschiedene Erlebniswelten einkaufen kann. Sofern ein Kunstsammler mit den Gemälden, Skulpturen oder Videos, die er kauft, nicht zuletzt eine Zugangsberechtigung zu Previews und vielleicht auch Ateliers erwirbt, verschafft er sich tatsächlich Erfahrungsräume, die den meisten anderen Menschen verschlossen bleiben. Der Sammler darf einen Künstler zum Abendessen einladen und dabei Einblick in eine für ihn sonst fremde Welt nehmen; er kann an Sichtweisen, Haltungen und Temperamenten teilhaben, in denen er eine Bereicherung für sein eigenes Leben – oder auch nur eine reizvolle Abwechslung – vermutet.

Für Sammler, die auf die persönliche Nähe zu Künstlern setzen, ist Kunst ein Lifestyle, der von Spontaneität, einer gewissen Frechheit und Leidenschaft geprägt ist. Gerne ließen sie sich von der Kreativität eines Künstlers anstecken, genießen es aber auch schon, wenn sie ihn in einem Club oder einer Lounge in für sie inspirierender Atmosphäre erleben können. Sie sind Konsumenten dieser Atmosphäre, eines Flairs von Geheimnis und Verheißung. Natürlich handelt es sich manchmal um eine etwas kitschige und übertriebene Art der Bewunderung, mit der Sammler Künstlern begegnen, und gelegentlich mag dadurch sogar die Grenze zur Vereinnahmung überschritten werden, doch wird gerade dann deutlich, wie sehr es um exklusive Erlebnisse und Teilhabe geht – und wie unwichtig im Vergleich dazu der materielle Besitz von Werken ist.

Doch nicht nur insofern kann man in etlichen Kunstsammlern Prototypen eines postmaterialistischen Konsums erkennen. Immerhin haben sich die meisten deshalb für Kunst als Sammelgebiet entschieden, weil sie sich davon ein größeres Surplus an Sinn oder mehr geistige Bereicherung versprechen als von allem anderen, was sie kaufen könnten. Kunst erwirbt man noch weniger als hochklassige Markenartikel, die ihrerseits die Erfüllung spiritueller Sehnsüchte verheißen, wegen eines Nutzwerts; um sie kümmert sich erst, wer alle konkreten und alltäglichen Bedürfnisse befriedigt hat und nun noch irgendwelche Sehnsüchte nach etwas ›Höherem‹, nach Transzendenz oder Klarheit, nach einer besonderen Erkenntnis oder ungewöhnlichen Intensität verspürt. Wie die Kunst also als Vorbild entwickelter Markenartikel angesehen werden könnte, da in ihr zum ersten Mal ausdrücklich ein ideeller Mehrwert in den Vordergrund trat, so lassen sich Kunstsammler entsprechend als Muster eines Konsumententyps begreifen, den vor allem eine Wohlstandsgesellschaft hervorbringt. Ihm geht es darum, mit seinem Geld möglichst unterschiedliche und nachhaltige Sinnangebote zu erwerben. Auf diese Weise versucht er, ein glücklicheres Leben als seine – weniger vermögenden – Zeitgenossen zu führen.

Kunstsammler lassen sich aber nicht nur aufgrund ihrer freieren Rezeptionstechniken oder wegen Konsummotivationen, die paradigmatisch für eine postmaterialistische Kultur sind, als besonders avanciert beschreiben. Vielmehr macht sich bei ihnen erstmals eine Umwertung bemerkbar, die kennzeichnend für eine voll entfaltete Konsumgesellschaft werden könnte: In ihr wird der Konsum von Gütern höher geschätzt als deren Produktion. Weniger das Verhalten der Sammler selbst als vielmehr ihre Darstellung in der Öffentlichkeit zeugt davon. Immerhin finden Kunstsammler Anerkennung allein dafür, dass sie in großem Stil konsumieren. Seit einiger Zeit lässt es sich kein Kunstmagazin und selbst kaum eine Tages- oder Wochenzeitung entgehen, die Leser mit Serien zu versorgen, die in Homestories über Kunstsammler berichten. Und auch sonst ist den Sammlern eine große und wohlwollende Öffentlichkeit sicher. Sie werden selbst zu Themen, die gar nicht ihre Sammlung betreffen, interviewt, dürfen Führungen in Museen veranstalten oder Vorträge halten. An Glamour und Prominenz haben sie Museumsdirektoren, Kritiker und Kuratoren bereits übertroffen – und die einzige Konkurrenz um Aufmerksamkeit, die ihnen noch halbwegs ebenbürtig zu sein scheint, stellen die Künstler dar. Deren Ansehen verdankt sich traditionell jedoch gerade ihrer Einschätzung als origineller Schöpfer, also als einer markanten Version von Produzenten.

Mittlerweile ist allerdings zweifelhaft geworden, ob Künstler den Anspruch einer produktiven Elite noch erfüllen können, sind viele von ihnen doch nicht mehr mit der Entwicklung eigener Bildwelten befasst, sondern ihrerseits oft rezeptiv oder konsumistisch tätig: In der Tradition des Readymade beziehen sie sich auf bereits vorhandenes Material, arbeiten mit ›found footage‹ oder wählen aus einem Pool der Bilder etwas aus, um es neu zu arrangieren oder zu samplen. Boris Groys vertrat daher sogar schon die These, die Künstler seien zur Avantgarde des Konsums geworden und nicht mehr als Produzenten, sondern als Konsumenten maßstäblich.[1]

Deutet sich auch hier eine Umwertung an, so scheinen die Kunstsammler doch noch eher als die Künstler Anspruch darauf erheben zu können, für eine wachsende Anerkennung des Konsums zu stehen. Während ein Künstler höchstens ein besonders schlauer Konsument sein mag, indem er etwas zuerst relativ Wertloses entdeckt und dann zu Kunst erklärt oder transformiert, kann ein Sammler gleich auf zweifache Weise auf sich als

Konsument aufmerksam machen. Entweder: Einige seiner Stücke steigen enorm im Wert, was ihn zum Inbegriff des erfolgreichen Schnäppchen-Jägers werden lässt. Tatsächlich verzichtet kaum eine Homestory darauf, von sensationellen Wertsteigerungen zu berichten – so wie im Fall des Fotosammlers L. Fritz Gruber: »*Alles, was heute gut und teuer ist: Damals wollte es niemand haben*«.[2] Gute Sammler, so der Eindruck, sind schneller als andere und daher die Avantgarde des Konsums. – Oder aber: Das Sammeln wird als geradezu heroische Leistung gewürdigt, weil hohe Summen im Spiel sind. Damit erscheint der Sammler als opferbereiter und engagierter, als spektakulärer Konsument; er verausgabt sich mit eigenem Vermögen.

Das weckt umso mehr Ehrfurcht und Neugier, als er auf einem Feld agiert, das als besonders sensibel gilt: Wer traut sich schon Kompetenz und Geschmackssicherheit zu, wenn es um Fragen moderner und zeitgenössischer Kunst geht? Ein Sammler gibt also nicht nur viel Geld aus, sondern das auch noch für etwas, vor dem eine Mehrheit der Menschen Scheu empfindet und bezogen worauf viele sich zu einer Konsumentscheidung nicht einmal dann durchringen könnten, wenn nur geringe Summen dafür zu zahlen wären. Dem Kunstsammler traut man entsprechend auch zu, ebenso in allen anderen Bereichen genau entscheiden zu können, was er wirklich haben will: Wer das schwierige Terrain der Kunst meistert, wird überall als Souverän des Konsums auftreten. Und damit braucht nicht zu wundern, dass über Kunstsammler so viel – und so anerkennend – berichtet wird, erfüllen sie doch etwas, das in einer Konsumgesellschaft als Tugend und Ideal geschätzt wird: Kennerschaft und die Fähigkeit, etwas für ihr Geld zu finden, das ihnen große Befriedigung bereitet. Sie sind die Helden und Vorbilder einer Kultur, in der sich Identität über Konsum konstituiert.

Zum heroischen Flair, das Kunstsammler umgibt, gehört auch, dass sich große Ausgaben als Zeichen von Passion deuten lassen. Gehört der Sammler nicht zu den wenigen, die zu bekenntnishaften, geradezu existenziellen Gesten in der Lage sind? In einer Welt, in der man allenthalben Beliebigkeiten beklagt, sind solche Gesten ersehnt und werden entsprechend honoriert. Kein Wunder, dass in Berichten über Sammler auch gerne vom »*missionarischen Eifer*« die Rede ist, »*andere für Kunst zu begeistern*«.[3] Mancher Sammler, so etwa Reiner Speck aus Köln, gibt unumwunden zu: »*Mein Ziel ist missionarisch*«.[4] Allerdings erschöpft sich die Mission des Sammlers häufig mit dem Kaufakt. Im Unterschied zu Theoretikern oder Kuratoren benötigt er nämlich keine Argumente und Theorien, um anderen den Wert eines Kunstwerks nahe zu bringen. Konsumerlebnisse füllen die Homestories, während Rezeptionserfahrungen viel seltener Thema sind. Dass der Sammler dafür – viel – gezahlt hat, genügt offenbar, um die Relevanz des jeweiligen Werks zu garantieren. Die Preisangabe ersetzt die Begründung eines Geschmacks- oder Werturteils.

Wie sehr sich die Wertschätzung von Kunstsammlern ihrem konsumistischen Engagement – und keinen ungewöhnlichen Rezeptionserlebnissen – verdankt, wird auch daran ersichtlich, dass es ihr Renommee nicht beeinträchtigt, wenn sie ihre Stücke einfach horten und nichts unternehmen, um sie, wie es ein Kurator täte, beziehungsreich anzuordnen oder eigenwillig zu präsentieren. Im Gegenteil ist in Berichten über Sammler sogar immer wieder – geradezu stolz – davon die Rede, dass sie ihre Erwerbungen nicht aufhängen und nicht einmal auspacken. In einer Homestory über die Sammlerin und Autorin Uta Grosenick heißt es etwa: »*So manches Kunstwerk steht noch eingepackt im Gästezimmer. ›Ich kann jetzt nicht stoppen, nur weil die Bude voll ist‹*«.[5] Simon de Pury, Kunstsammler und Auktionator aus New York, äußert, das »*Wichtige beim Sammeln*« sei, »*daß man das Objekt hat. Nicht unbedingt, daß man es auch sieht*«.[6] Und Armin Waehlert, Sammler aus Frankfurt, gibt zu, dass er seine Stücke, sind sie erst einmal erworben, im Depot verstaut: »*Man bewahrt sie auf, ohne sie je wieder anzusehen*«.[7]

Der Hamburger Künstler Wolfgang Strack, dessen konzeptuelle Arbeit sich mit Phänomenen des Kunstbetriebs befasst, bezeichnet solche Sammler ironisch-kritisch als »Kunststapler«. Wie gut dieser Ausdruck passt, wird deutlich, sobald man darauf achtet, wie sich Sammler heutzutage photographieren lassen. Man sieht sie nicht mehr nur stolz vor oder neben einem Lieblingsstück stehen, sondern gerne auch inmitten von oder gar auf Holzkisten, in denen ihr Kunstbesitz eingelagert ist. Sie zeigen nicht, was sie haben, sondern demonstrieren nur, wie viel sie besitzen (sie sind es wohl auch, die vom Sammeln eher ›access‹ als Objektberührung erwarten). Ginge es, statt um Kunst, um Schuhe oder Kleidung, wäre eine solche Selbstdarstellung wohl kaum denkbar; dann müsste, wer das Gekaufte zuhause unausgepackt abstellt, nämlich befürchten, als maßlos und konsumsüchtig – und damit als krankhaft – eingeschätzt zu werden. Nur weil Kunst als besonders anspruchsvoll gilt, erscheint der Sammler seriös und ist vor dem Verdacht geschützt, er leide unter Kontrollverlust.

Für manche Sammler beginnt ihre Sammlerexistenz sogar erst in dem Moment, in dem sie nur noch Teile des Erworbenen bei sich zuhause präsentieren können: »*...wenn die Wände alle voll sind und man Bilder unabhängig davon kauft, ob sie an die Wand oder zur Einrichtung passen, (...) dann beginnt die Sammlung*«, sagt der Dresdner Sammler Klaus Schmidt.[8] Wer nur zum privaten Gebrauch, für die eigenen vier Wände und zu deren Schmuck Kunst kauft, ist also noch kein Kunstsammler – so wenig wie jemand, der zwei Dutzend Flaschen Wein im Keller hat, schon als Weinsammler tituliert werden könnte.

In dem Moment jedoch, in dem ein Sammler auch zeigen will, was er hat, ändern sich die Ansprüche, die an ihn gestellt werden. Nun genügt es nicht mehr, mit konsumistischen Superlativen zu glänzen. Vielmehr tritt er jetzt in Konkurrenz zum Kurator, der sich von vornherein nur über das Ausstellen von Kunst bewähren kann. Der Sammler muss auf einmal ebenfalls etwas produzieren und dem Anspruch auf eine möglichst originelle, sinnstiftende, stimulierende Schau genügen. Er enttäuscht, wenn er nicht mit inspirierend-überraschenden Künstlerkombinationen aufwartet und keine Leitmotive inszeniert – wenn er nicht belegen kann, dass er ein sensibler Rezipient der Kunst ist. Dann muss er damit rechnen, etwas abschätzig als galeristenabhängig, als Mainstream-Vertreter, vielleicht sogar als ›fashion victim‹ bezeichnet zu werden.

Es bedeutet also ein Risiko für Sammler, ihre Kisten zu öffnen und die eigenen Stücke öffentlich zu präsentieren. Dies umso mehr, solange sie nicht begreifen, dass sie damit, statt weiterhin nach Kategorien des Konsums beurteilt zu werden, erstmals auch darlegen müssen, warum sie sich für ein Arrangement oder überhaupt für bestimmte Künstler und Werke entschieden haben. Wer um die Gefahr weiß, sich hierbei leicht Blößen geben zu können, engagiert oft lieber einen Kunsthistoriker oder Kurator, der über Auswahl und Anordnung ihrer Sammlungsstücke entscheidet. Nur relativ wenige trauen sich zu, selbst kuratorisch tätig zu werden oder gar in Texten zu erläutern, was sie zu einem Sammlungs- oder Ausstellungskonzept veranlasst hat. Noch ungewöhnlicher aber sind Sammler, die, wie das Ehepaar Doris und Klaus F. K. Schmidt, von sich sagen, sie würden sammeln, um zu kuratieren. Wer sich so äußert, definiert sich vermutlich von vornherein weniger über den Konsum von Kunst als über ihre produktive Rezeption. Den beiden Gründen für das Kunstsammeln, die zu Beginn diskutiert wurden, tritt hier ein dritter an die Seite: Nicht der unbeschränkte Genuss von Kunst und nicht der exklusive Zugang zu ihr, sondern der Wunsch, anderen zu zeigen, wie verschiedene künstlerische Positionen zusammenwirken können und was sich an Kunst überhaupt wahrnehmen, wie sich mit ihr umgehen lässt, besitzt dann Priorität. Wer diesen Wunsch verspürt, aber nicht Kurator an einem Museum ist, hat nur eine einzige Chance, ihn sich zu erfüllen: er muss selbst zum Sammler werden.

1 Vgl. Boris Groys: »Kunst als Avantgarde der Ökonomie«, in: Andreas Grosz: Die Kultur AG, München 1999, S. 21–27.

2 Cornelius Tittel: »Die lauen Nächte mit Helmut und June«, in: Welt am Sonntag vom 6. Februar 2005, S. 59.

3 Georg Weishaupt: »Gegen den Museumskitsch«, in: Handelsblatt vom 8. März 2005, S. 22.

4 Jörg Häntzschel: »Post von Sacher-Masoch«, in: Süddeutsche Zeitung vom 1. Oktober 2004, S. 13.

5 Susanne Schreiber: »›Ich kann nicht stoppen, nur weil die Bude voll ist‹«, in: Handelsblatt vom 1. Februar 2005, S. 220.

6 Katharina von der Leyen: »Man muß animieren können ...«, in: whynot!, Lifestyle im Handelsblatt, Oktober 2005, S. 36.

7 »Sammeln fängt da an, wo die Wände aufhören«, in: monopol 4/2004, S. 111.

8 Doris und Klaus Schmidt: »Wir sammeln, um zu kuratieren«, in: Peter Herbstreuth: Dresden privat. Die Kunst des Sammelns, Dresden 2002, S. 87.

Hans Ludwig Böhme / W. B., 2001 / C-Print, 65,3 x 48,5 cm

Peter Herbstreuth

Ein Fragmentarium der Passionen
Zur Sammlung Schmidt-Drenhaus

Ein Sammler ist ein Einzelgänger. Das gilt auch für jede Sammlerin. Sie folgen ihrem eigenen Sinn und vertrauen auf die Intelligenz ihrer Instinkte, jagen alleine oder nur mit Vertrauten, treten nie in Gruppen auf, und von einem Kongress, gar einem Verband der Sammler und Sammlerinnen zeitgenössischer Kunst hat man nie gehört. Dennoch werden Sammler oft und gerne im Plural abgehandelt, in Gemeinsamkeiten aufgelöst und zu einer Gefahr (für die Autorität von Museen), einer Attraktion (für die Kooperation mit Museen) oder einer Alternative (für die Erwerbungen der Museen) stilisiert. Bisweilen diktiert gar der Gedanke an ein Monopol den ominösen Plural. Denn von einem Monopol kann unter verschwörungstheoretischen Gesichtspunkten durchaus gesprochen werden, wenn man Galerien und Auktionshäuser bedenkt, die vor allem mit ihnen, den privaten und auf eigene Rechnung sammelnden Einzelgängern, Tauschbeziehungen pflegen und insgesamt lancieren, was in der Kunst geht und was nicht. Doch das vermutete Monopol formiert sich nicht zum Kartell, denn es gibt keine Absprachen und niemand hält die Fäden in der Hand. Sammler tun zwar vieles auf ähnliche Weise, sie machen aber keine gemeinsame Sache. Die Bequemlichkeit des Plurals will pauschalisieren und soziologisch, ideologiekritisch oder mit ironischer Sympathie verständlich machen, was tatsächlich irrational und unverständlich ist, und verdeckt den Blick auf die abgründige Wirklichkeit des Sammelns ebenso wie auf die beiläufige bürgerschaftliche Leistung der Sammlungen. Denn es gibt kein allgemeines Äquivalent, welches das jeweils Singuläre austauschbar macht oder gar die monströse Größe eines Durchschnitts ermitteln könnte, die es erlauben würde, alle über einen Leisten zu schlagen.[1]

Das wenige Gemeinsame, das auch die Sammlung von Doris und Klaus F. K. Schmidt motiviert, liegt darin, den »*Ich-Begriff, unseren ältesten Glaubensartikel*« (Friedrich Nietzsche) zu ihrer Wünschelrute gemacht zu haben, die immer dann zuckt und anspringt, wenn ein rätselvolles Wunderbares auftaucht, das erbeutet werden will. Der Kunstbegriff fällt mit dem Ich-Begriff in eins und die Sammlung gewinnt das Gesicht, das dem Selbstverständnis des Einzelnen sukzessive ähnlich wird: als Erweiterung des eigenen Selbst im Spiegel eines komplexen Gegenübers.

Deshalb werden viele Sammlungen in Verbindung mit dem Eigennamen vorgestellt, selten unter einem Logo oder Phantasienamen. Der Eigenname verweist nicht nur auf den Eigentümer, sondern vertritt die eigene Person – mehr als das eigene Unternehmen, das oft gerade nicht den Namen der Eigentümer trägt. Offensichtlich ist der Identifikationsgrad mit der Sammlung hoch. In ihr manifestieren sich nicht nur kreative Hoch- und Tiefpunkte, riskante Entscheidungen, unabsichtliche Verflechtungen und überraschende Entsprechungen, sondern auch intensive Momente der Biographie. Insofern ist jede Sammlung, die nicht für kurzfristige Zwecke, sondern mit Mut zum Ungesicherten erworben wird, ein Bekenntnis.

Dialogischer Blick: Doris und Klaus F. K. Schmidt haben seit vierzig Jahren ihre Ankäufe vor allem nach Maßgabe ihrer Leidenschaften entschieden und folgten ihrer Begeisterung und ihrer Neugier. Das Konzept lag letztlich in ihrer beider Übereinstimmung, und die Logik der Sammlung entwickelte sich aus ihrem dialogischen Blick. Die Einladung des Dresdner Kupferstich-Kabinetts, ihre Erwerbungen im Licht der Öffentlichkeit zu einem Bild zusammenzusetzen und in den neuerlichen Diskurs privaten Sammelns seit den prosperierenden sechziger Jahren einzuführen, versachlichte plötzlich die Einkäufe aus Leidenschaft. Die Einladung der staatlichen Institution zwang zur Bilanz und war mit Kategorien von Soll und Haben doch nicht zu ermessen. Was subjektiv war, sollte objektivierbar werden.

Darin liegt nicht nur die persönliche Genugtuung eines Übergangs von Privatvergnügen zu bürgerschaftlicher Anerkennung, sondern auch eine kulturpolitische Dimension. Die Sammlung macht sich diskutabel und ver-

gleichbar. Deshalb soll hier der Logik der Sammlung nachgegangen werden und nicht der Logik des Sammelns. [2]
Da sie von vornherein nicht in Erwägung gezogen hatten, je in die privilegierte Verlegenheit zu kommen, ihre
Erwerbungen zu einem Teil des öffentlichen Bewusstseins zu machen, hatten sie nicht nach kanonischen Wer-
ken gesucht, um der Sammlung noch zu Lebzeiten konsensfähig applaudieren zu lassen. Kunst war ihnen Aus-
bruch aus der Zeit, Drama der Formen und explodierende Implosion wie auch ihr Gegenstück: Einbruch der Zeit,
Stille der Formen, dynamische Konstruktion. Berührt und begeistert wurden sie meist von Entregelungen der
Regeln: Georg Baselitz, Markus Lüpertz, Karl Horst Hödicke, Helmut Middendorf, Günther Förg und neuerlich
Jonathan Meese. Entsprechend standen Sensibilität und Kunstsinn im Vordergrund. Und da sich ihre Augen zu-
nehmend auf Gleichklang eingestellt hatten, trafen die Impulse der Werke oft beide. Das Sammeln war gemein-
same Passion und gehörte zum Lebensstil.

   »Wir begannen unsere Sammlung – oder soll ich sagen: Ansammlung?«, überlegt Doris Schmidt, »denn wir kaufen
ja nicht, um zu archivieren und zu verwalten, sondern weil wir mögen, wofür wir uns entscheiden. Wir wollen Streit entfachen
zwischen den Werken. Das ist die Spannung, die uns fasziniert. Wir begannen mit Holzschnitten der klassischen Expressionisten:
Heckel, Kirchner, Müller, Nolde. Dafür interessierten sich in den siebziger Jahren nur Wenige. Auf den Auktionen saßen zwanzig
Leute. Die meisten davon waren Händler. Es war ein kleiner Kreis. Der Nachlassverwalter von Kirchner«, fährt sie fort, »machte uns Anfang der achtziger Jahre auf die Berliner Wilden aufmerksam. Da begann eine neue Zeit.« Der Blick auf expressio-
nistische Strömungen lenkte sie in die Richtung, die plötzlich zur eigenen Gegenwart wurde, von deren Turbulenzen sie sich einige Jahre mitreißen ließen, bis sie in dem ruhigen Fluss der lyrischen Konstruktionen von Rosemarie Trockel ein Korrektiv fanden. Gleichwohl hielt das Interesse an expressiven Formen bis heute an. »Es ist sehr
merkwürdig«, ergänzt Klaus Schmidt. »Je älter wir werden, desto jünger sammeln wir. Was aber die Arbeiten auf Papier
betrifft, so haben wir diese zur Abrundung gekauft. Sie sind Verbindungsglieder zu unseren Gemälden und Skulpturen.«

Günther Förg / Drei Masken, 1994
Bronze, Höhe je ca. 60 cm, Grundplatten jeweils 40 x 40 cm

Rhizom: Die »Ansammlung« der Arbeiten auf Papier eröffnet ein Zusammenspiel, das im Nebeneinander von Konstellationen und Fluchtlinien für den Moment der Ausstellung zur Ruhe kommt, während sie im Hintergrund weiter expandiert. Denn auch diese Sammlung wächst und wächst.

Ihr Beginn ist weder begründbar, noch das Ziel definiert. Manche Sammlungen geben sich einen Rahmen und verfolgen übergreifende formale Aspekte (Bilder mit Worten) oder inhaltliche Konzentrationen (Verstrickungen von Künstlern mit der Medienwirklichkeit) oder stilistische Entwicklungen (Traditionen des Minimalismus) oder nationale und zeitgeschichtliche Felder (amerikanische Kunst seit den achtziger Jahren) oder gattungsbezogene Segmente in regionalen Grenzen (Photographie der DDR mit Photopapier aus der DDR). Nichts dergleichen lässt sich von den Arbeiten auf Papier der Sammlung Schmidt-Drenhaus sagen. Zwar ergeben sich sporadische Allianzen, die den Teilen ihren Zusammenhalt durch thematische Verdichtungen und strukturelle Anordnungen verleihen, aber sie sind weder auf Geschlossenheit noch auf Abschluss, geschweige denn auf Bilanz eingestellt. Wie wäre diese integrale Offenheit und prinzipielle Unabschließbarkeit auf den Begriff zu bringen?

Der Moment der Ausstellung gleicht einem Rhizom im Stillstand. Wie ein Rhizom hat die Sammlung *irgendwo* einen Anfang und *nirgendwo* ein Ende. Gilles Deleuze und Felix Guattari haben gegen die Leitmetapher der Stammbäume, die auch die Kunstgeschichte und den Horizont vieler Sammlungen, nicht zuletzt der institutionellen, prägte, den Begriff des Rhizoms etabliert. Sie setzten gegen das Vorbild der großen Erzählung einer verzweigten, doch stets aus einem Stamm in eine Richtung wachsenden Entwicklung das unüberschaubar wuchernde Wurzelgeflecht (Rhizom) und beschrieben es als Metapher für Denk- und Handlungsweisen, die die Gegenwart der Nachmoderne bestimmen.[3] Das rhizomatische Prinzip sahen sie in der potentiell unendlichen Reihung von Hinzufügungen (»*und dazu ... und dazu ... und dazu ...*«), die eine Synthese unmöglich machen. Dieses Prinzip beherrscht auch die Sammlung von Arbeiten mit und auf Papier: ein Netz von Linien und Knoten ohne

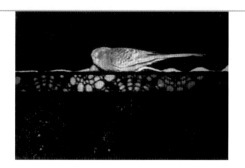

Zentrum, in dem jede Stelle mit jeder anderen verbunden, an dem beständig gebaut und das Ganze nur vage und spekulativ beschrieben werden kann, weil es seine eigene Struktur verändert und Konstellationen immer wieder neu ordnet – im Sinne des Sammlerehepaars Schmidt »*Suchen, Zeigen, Verbergen, Erinnern, Verbinden, Befragen*«.

Serien: Dieses Vorgehen spiegelt sich selbst in den Serien. Die Verdichtungen der Auswahl liegen in Werkgruppen aus Handzeichnungen, druckgraphischen Werken und Photo-Reihen von Georg Baselitz, Markus Lüpertz, Tacita Dean, Günther Förg, Eberhard Havekost, Jürgen Klauke, Arnold Odermatt, Bettina Schöner und Thomas Schütte. Diese Werkgruppen unterliegen – mit Ausnahme der streng geometrischen Anordnung der Photo-Reihe von Jürgen Klauke – jeweils keiner vorgeschriebenen Chronologie, können in ihrer Abfolge untereinander ausgetauscht werden, lassen den Sammlern die Freiheit der Anordnung und feiern neben der halluzinatorischen Kraft der Wiederholung das Fest der Abwechslung. Zwar führen die Serien zu thematischen Konzentrationen, doch zu keinem Zentrum, keiner Synthese, keinem Ziel. Sie folgen dem Prinzip 1 + 1 +1 + ... Wie bei Rhizomen handelt es sich um Bewegungen, die »*in die eine und in die andere Richtung*« laufen können (Deleuze/Guattari). Daraus resultieren bisweilen Widersprüche und Unvereinbarkeiten, die jeden Versuch der Vereinheitlichung sabotieren. Auch lässt sich aus keiner Serie ein einzelnes Blatt oder eine Photographie isolieren und zum Hauptwerk erheben oder als Teil für das Ganze setzen. Sie sind gleichwertig und ordnen sich in ihrem Bedeutungswert gleichrangig nebeneinander. Der Blick auf das Detail befindet sich stets im Zentrum. Keine Konvention gibt eine Hierarchie vor. Auch deshalb verlangen sie nach dem Blick von Kennern, die die Bewegung von Blatt zu Blatt, die Sprünge von Anfang zu Anfang zu schätzen wissen – und die nicht regressiv die Wiederkehr des Gleichen sehen, sondern neugierig die nuancierte Entfaltung einer Idee verfolgen.

Allerdings unterscheidet sich jede Werkgruppe von dem seriellen Typus, den Andy Warhol in den sechziger Jahren popularisiert hatte und der seine Besonderheit vor allem daraus schöpft, dasselbe Motiv mehrmals zu vervielfältigen und in einem gleichwertigen Raster zu präsentieren. Während das Warhol-Prinzip aus Reproduktionen besteht, die dasselbe Bild in einem geometrisch geordneten Neben- und Übereinander setzt, dadurch die Gleichzeitigkeit des mechanisch gefertigten Identischen zeigt und letztlich die industrielle Produktionen von Massenwaren zum Vorbild hat, besteht in der Sammlung Schmidt-Drenhaus jede Serie aus visuell verschie-

Tacita Dean / Dead Budgie, 2002
Folge von Photogravüren,
61 x 45 cm, 39 x 52 cm, 2 x je 39,5 x 50,5 cm, 54 x 74 cm, 45 x 55 cm

denen Einzelteilen. Entweder sind es die Variationen des gleichen Bildgedankens in einer fortlaufenden Reihe (wie die bildbewusst dokumentierten Verkehrsunfälle von Arnold Odermatt oder auch die Reihe zensurierter Nachbilder von Eberhard Havekost) oder es handelt sich um das Set einer fragmentarischen Erzählung (wie die stille Einsamkeit des Stadtspaziergängers von Jan Brokof oder die Reminiszenzen an Wasser, Sonne, Weite von Peter Doig). Entweder stammen die Serien aus der Hand des Schöpfers – auch dann, wenn manche Zeichnungen als Auflagen editiert sind – oder es sind Photographien bzw. photomechanische Reproduktionen von verschiedenen Motiven. Daher geht es bei allen Serien nicht um die mechanisierte Wiederholung desselben, sondern um die Variation des gleichen Motivs in einer fortgesetzten Folge von Abweichungen zum vorangehenden Motiv. Das Singuläre im Ähnlichen ist den Sammlern selbst bei Editionen wichtig.

Diese Lust an Unterschieden und am Unterscheiden, die Freude an Abweichungen und Varianten deutet auf eine performative Struktur. Die Werke betonen das Handlungsmoment des Künstlers. Umberto Eco hat für die differenzielle Wiederholung und ihren subjektbezogenen Charakter einen banalen, aber schlagend evidenten Vergleich gefunden. Nichts, so meinte er, sei serieller als ein Krawattenmuster, aber nichts könne persönlicher sein, bedenke man den Zusammenhang, in dem es erscheine – entsprechend seien auch Johann Sebastian Bachs Goldberg-Variationen eine Skala von Nuancen und Wiederholungen und gehörten doch zum Schwierigsten, wolle man den richtigen Ton für den adäquaten Klang treffen. Daher bekommt eine strikt zeichentheoretische Analyse, die nach Inhalten und Bedeutungen (Medienreflexion bei Havekost, Mythenbezüge bei Lüpertz, Unmittelbarkeitsidee bei Förg, Bestandsaufnahme bei Schöner) und folgerichtig nach der Sinnproduktion fragt, die Werkgruppen nur halb in den Blick. Denn offensichtlich liegt die entscheidende Wirkung weniger in den Inhalten, sondern in der Serialität der Serie, in der erneuten Wendung einer gegebenen Bildidee, in der fortgesetzten Abweichung auf der Basis des Vertrauten.

Die Konsequenz des Seriellen vollendet sich nur im Imaginären und kann in der erfahrbaren Wirklichkeit nicht gezeigt werden. Denn jede Serie ist der Möglichkeit nach unendlich. Ihr formales Prinzip lenkt die Gedanken auf Fortsetzung ohne Ende. Es lässt sich immer eine weitere Variante erstellen. Die Begrenzung entspringt dem Willen und der Entscheidung, nicht der Sache oder dem Thema. Daher liegt die stille Provokation der Schwerpunktsetzung dieser Sammlung in der Uneinholbarkeit der Möglichkeiten, die durch die Schemata für die Variationen vorgegeben werden. Diese Provokation stellt sich nicht mit der ebenfalls ins Unendliche tendierenden Reproduktion desselben ein (Warhol-Prinzip); denn dort geht es um die Arbeit der Maschinen. Sie stellt sich nur durch die unendliche Variation des Ähnlichen ein. Die Gegenwartskunst hat also neben der permanenten Innovation und Entregelung die Kunst der Wiederholung gepflegt.

Verortung: Folgt man der Metapher des Rhizoms, findet jede Sammlung ihre Lebendigkeit durch die Orte, an denen sie wächst. Denn es sind die Orte mit ihren Klimazonen und saisonalen Turbulenzen, die die Wuchsrichtungen bestimmen. Die Sammlung Schmidt-Drenhaus ist seit 1968 in Köln und seit 1990 in Dresden gewachsen. Sie spricht von den Verbindungen mit Galerien, Künstlern und Themen. Das heißt nicht, dass die Sammlung allein *aus* Köln und *aus* Dresden stammt, denn die Verbindungen reichen nach Basel, Brüssel, Berlin und in andere Städte, nicht zuletzt durch die Messeplätze, die viele Zeiten und viele Orte für kurze Dauer zum Handelsplatz machen. Doch aus Köln und Dresden bezog und bezieht die Sammlung ihre wesentlichen Impulse, Energien und Informationen. Wäre sie in Oslo oder Madrid gewachsen, sähe sie anders aus. Aus der Distanz lässt sich ein Rhizom von anderen Rhizomen durchaus unterscheiden. Wenn auch entgegen der Emphase, mit der Deleuze und Guattari auf die Verbindungen des partiellen Ganzen bestehen, kann man das Geflecht lokalisieren und datieren und infolge dessen der Kunstgeschichte deutscher Prägung mit transatlantischen Akzenten der achtziger Jahre durch Barbara Kruger und Cindy Sherman zuschreiben. Doch so wenig wie die Konsequenz der Serie darstellbar ist, ist es das ganze Rhizom. Es bleibt immer ein Fragment.

1 Vgl. Werner Muensterberger: Sammeln. Eine unbändige Leidenschaft. Frankfurt / Main, 1999.
2 Vgl. Peter Herbstreuth: Dresden privat. Die Kunst des Sammelns. Dresden, 2002.
3 Gilles Deleuze / Felix Guattari: Tausend Plateaus. Berlin, 1998.

»Streit entfachen zwischen den Werken, wir leiden und lieben dies.«

»Bezüge herstellen, Kunstwerke miteinander sprechen zu lassen,
Sehklänge zu erfahren, darum geht es uns. Wenn wir unsere Werke hängen,
suchen wir nach einem Klang.
Der Klang, gleichsam die Musik, entsteht in unseren Augen und Herzen.«

Johannes Schmidt

Die heile Welt – Bildkünstlerische Filter vor einer problematischen Wirklichkeit

»Die zukünftige Gesellschaftsordnung wird sich nach den Gesetzmäßigkeiten der Kunst formen.«
(Joseph Beuys)

Der Begriff der »heilen Welt« wurde wohl schon mit seiner ersten Verwendung im allgemeinen Sprachgebrauch mehrdeutig verstanden. Seine Popularität wie auch große inhaltliche Spannweite lassen sich problemlos mit aktuellen Beispielen belegen: In einem Bericht der tageszeitung vom Dezember 2005 ist angesichts der vermeintlichen Gefahr des Einbruchs fremder Kulturen in unseren Lebensbereich durch Migration aus muslimischen Ländern von der »Heilen Welt der Deutschen« die Rede.[1] Mit der »heilen Welt« ist also keineswegs nur das Paradies auf Erden gemeint. Es reicht der Wunsch, eine vorhandene, gewohnte und sicher keineswegs als perfekt empfundene Situation argumentativ gegen ein »Un-Heil« abzugrenzen.

»Die heile Welt der Diktatur« lautet der Titel einer Broschüre der Bundeszentrale für politische Bildung.[2] Dies zielt auf einen ganz anderen Begriffsaspekt – den der Nostalgie, eines verklärten Rückblicks auf vermeintlich harmonische Zustände der Vergangenheit, deren Berechtigung in diesem Zusammenhang bewusst in Frage gestellt werden soll.

Auf die Kunst bezogen, lassen sich zu dergleichen Konstellationen unschwer Entsprechungen finden. So verweisen Darstellungen des Unheils – von Unfällen, Kriegsereignissen oder Naturkatastrophen – indirekt darauf, dass die ganz normale Welt jenseits dieser Ereignisse und verglichen mit diesen durchaus als »heil« im Sinne von »intakt« angesehen werden kann. Künstlerische ›Idealdarstellungen‹ mit nostalgischem Charakter hingegen, ironisch oder ernsthaft gemeint, evozieren im Betrachter die intuitive Vermessung der Distanz zwischen dem gezeigten freundlichen Bild und seiner eigenen Alltagswahrnehmung.

Künstlerische Positionen unter dem Titel »Heile Welt« zu präsentieren, bedeutet letztlich nichts anderes, als sich mit der Stellung von Künstlern zur alltäglichen Lebenswirklichkeit auseinander zu setzen sowie der Frage nachzugehen, wie bzw. als wie »heil« diese Wirklichkeit empfunden wird.

»Heile Welt« taucht als Begriff häufig in polemischen Zusammenhängen auf – und meist schwingt dabei das Bewusstsein und der Hinweis auf die Unerreichbarkeit der Utopie des »heilen« Zustandes mit. Hinter dem Konzept einer »heilen Welt« wird oft die Idee von allseitiger und perfekter Harmonie der Gesellschaft gesehen. Dieser Idealzustand des Seins erscheint in der allgemeinen Wahrnehmung jedoch als sehr weit von der täglich erlebbaren Wirklichkeit entfernt. Der Umstand dieser Distanz ist es, der immer wieder künstlerische Antworten hervorruft, die ihrer Form nach äußerst unterschiedlicher Natur sein können. Neben inhaltlicher Konzentration auf Statements, Fragen und Kritik steht die Suche nach ästhetischen Reibungspunkten oder auch das plakative Sich-Abwenden von der Wirklichkeitsverarbeitung.

Von dem geflügelten Wort, dass jede Zeit die Kunst habe, die sie verdient, ließe sich demnach ableiten, dass Kunstbetrachtung eine Art Zustandsprotokoll unserer Lebenswelt vermittelt. Es stellt sich die Frage, wie die Kunst auf die Erscheinungen der Wirklichkeit reagiert, wie die unterschiedlichen künstlerischen Wahrnehmungen und Empfindungen in Werken zeitgenössischer bildender Kunst ihren Ausdruck finden.

---

1 Eberhard Seidel, taz Nr. 7850 vom 20.12.2005, S. 3.
2 Stefan Wolle, Die heile Welt der Diktatur, Bd. 349 der Schriftenreihe der Bundeszentrale für politische Bildung.

Otto Mueller / *Zwei Badende im Bach, um 1922*
Farblithographie, 25 x 17 cm auf 41 x 27 cm

Die Ausstellung »Heile Welt« soll nicht nur die Entfernung zwischen verschiedenen Idealvorstellungen und der Wirklichkeit als künstlerische Inspirationsquelle in Augenschein nehmen, sie breitet einen Fächer möglicher Realitätssichten und Realitätswahrnehmungen durch die Filter bildkünstlerischer Reflexion aus.

Auf die Frage nach dem Grad des »Heilseins« der Welt nehmen verschiedene Protagonisten des Kunstschaffens in unterschiedlicher Art zwischen den beiden Polen einer vordergründig inhaltsorientierten Diskurskunst auf der einen sowie formalem Eskapismus auf der anderen Seite direkt und indirekt Bezug. Es sind die diversen Brüche und Verwerfungen des modernen Lebens, die bevorzugt aufgegriffen und reflektiert werden.

Dies geschieht nicht nur in der Form direkter künstlerischer Behauptungen und Gegenbehauptungen zum theoretisch angenommenen Orientierungspunkt der »heilen Welt«. Auch Versuche der Ironisierung und subtilen Unterwanderung vermeintlich konfliktfreier Lebensbereiche beziehen sich gern auf das Auseinanderdriften von Utopie und Realität. Künstler nutzen Brechungen, Verfremdungen und Filter, sich dem »Un-Heilen« der Welt zu nähern, um ihren eigenen – faszinierten, irritierten oder kritischen – Standpunkt zum Ausdruck zu bringen.

Doch selbst wenn Kunstwerke vordergründig nur auf kunstimmanente und formale Probleme Bezug zu nehmen scheinen, geben sie immer auch unterschwellig Auskunft über ihre Entstehungsumstände, ihre Zeit und deren soziales und zeitgeistiges Gefüge.

Helmut Middendorf / Großstadteingeborene 2, 1981
Schwarze Kreide, 44,9 x 29,7 cm

K. H. Hödicke / Halensee, 1976
Kohle, 61 x 85,5 cm

Bereits die ältesten Werke der Sammlung Schmidt-Drenhaus, Zeichnungen und druckgraphische Blätter des deutschen Expressionismus, machen die unterschiedlichen Möglichkeiten der Auseinandersetzung mit der Realität ihrer zeitspezifischen Situation auf besondere Weise deutlich: Während Ernst Ludwig Kirchner eine Straßenszene direkt aus der Beobachtung des Berliner Lebens aufnahm und die Prostitution in den Großstadtstraßen zum direkten Bildthema machte, wendete sich Emil Nolde von den Alltagsthemen ab. Indem er die Figuren seines Holzschnitts »Tändelei« in Kostümen der Südseeinsulaner darstellte, rückte er die Szene in einen verklärten Kontext. Als eskapistisch könnte man in diesem Zusammenhang die Haltung Otto Muellers beschreiben, der mit seinen Zigeuner- und Badeszenen eine ideale Welt unschuldiger Sexualität in Einklang mit der Natur beschrieb und sich so der Auseinandersetzung mit erlebter Wirklichkeit entzog. Allerdings baute er in seinen Bildern eine »Gegenwelt« auf, die er selbst auch konsequent auslebte – unter anderem während der Zusammenarbeit mit den BRÜCKE-Künstlern an den Moritzburger Seen.

Helmut Middendorf / Ohne Titel (Akt), 1982
Schwarze Kreide, 39,6 x 30 cm

Emil Nolde / Tändelei, 1917
Holzschnitt, 31 x 23,7 cm auf 40,5 x 31,4 cm

Ernst Ludwig Kirchner / Ansprachen II, 1914 / Nachdruck 1979 / Radierung (Zinkätzung), 25,5 x 16,2 cm

Erich Heckel / *Hockende, 1913 / Holzschnitt, 41,8/36,3 x 30,4/31,2 cm*

K. H. Hödicke / Der Sohn des Riesen, 1976
Kohle, 61 x 85,5 cm

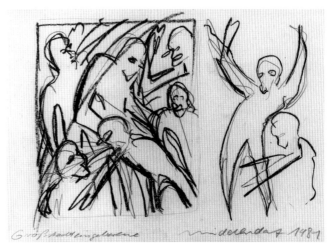

Helmut Middendorf / Großstadteingeborene 1, 1981
Bleistift und schwarze Kreide, 42 x 29,7 cm

K. H. Hödicke
Die Schöne und das Biest, 1979
Kohle und Gouache, 61 x 85,5 cm

Die ›heftige Kunst‹ der 1980er Jahre, hier repräsentiert durch **K. H. Hödicke** und **Helmut Middendorf**, näherte sich auf ähnlich inbrünstige und emotionale Weise wie die Expressionisten dem Bild des modernen Lebens. Die Maler warfen den Formwillen des Instinkts der sauberen, ordentlichen und technisierten bundesrepublikanischen Alltagswelt entgegen. Middendorfs »Großstadteingeborene« tanzen wie Emil Noldes Schamanen, nur eben nicht um den Totem, sondern in der Disco, während Hödickes »Halensee« zeittypische Antwort auf die weltabgewandten Bade-Idyllen der BRÜCKE-Künstler gab. Über die Auseinandersetzung mit der Gestaltungskraft des deutschen Expressionismus drückte sich für diese Künstler auch ihre Haltung zur Gegenwart und zur damals aktuellen Minimal- und Konzeptkunst aus.

Markus Lüpertz / Ohne Titel (zu »Amor und Psyche«), 1979 / Kohle, Kreide und Gouache, 61,8 x 44,2 cm

Markus Lüpertz / Ohne Titel (Babylon Zentaur dithyrambisch), 1975–76
Schwarze Kreide, Gouache, 85,4 x 60,5 cm

Markus Lüpertz / Ohne Titel (Dithyrambe), 1964
Wachskreide, 21,3 x 29,7 cm

Markus Lüpertz beschäftigt sich schon seit den 1960er Jahren mit »Malerei über Malerei«. In seinem 1968 publizierten Manifest beanspruchte er: »*Die Anmut des 20. Jahrhunderts wird durch die von mir erfundene Dithyrambe sichtbar gemacht.*« Dieses ›Ding‹ von mehrdeutigem Charakter ist abstrakter Gegenstand, das heißt weder eindeutig Gegenstand noch abstrakte Figuration. Bei Lüpertz verkörpert es die Wiedergeburt der Gestalt, die Wiederkehr der Figuration aus der Abstraktion. Lüpertz' so formulierte Lossagung von der Inhaltlichkeit wird jedoch nicht vollständig vollzogen. In seinen Bildtiteln lässt der Künstler immer wieder Anspielungen auf Geschichte und Kunstgeschichte anklingen.

A.R. Penck / 5 Radierungen ohne Titel, 1989/90 / je 63 x 69,2 cm auf 84 x 80 cm

A.R. Pencks didaktische »Weltbilder« und »Systembilder« spiegeln die direkte Auseinandersetzung des Künstlers mit gesellschaftlichen Phänomenen und sein Interesse für wissenschaftliches Denken wider. Ausgehend von den besonders in den 1960er Jahren viel beachteten Methoden der Kybernetik entwickelte er die Idee künstlerischer Prozessanalysen. Seine Verbindung von vereinfachender Abstraktion und analytischem Denken handelt meist von der Beziehung des Ich zur Welt. Angereichert mit Zeichen und Schemata veranschaulicht er Systembeziehungen und entwirft Modelle einer individuellen Weltdeutung.

Georg Baselitz / Ohne Titel, 1966 / Farbholzschnitt, 40,8 x 32,5 cm

Benjamin Katz / Baselitz mit Handschuh, 1992 / Photographie, 123 x 85 cm

Georg Baselitz / Dresdner Frau / Holzschnittfolge von fünf Blättern, 1989/90 / Blattmaß je 100 x 70 cm

Ausgangspunkt für **Georg Baselitz'** Kunst war die Rebellion gegen das Glatte und Schöne, gegen festgelegte Kategorien und Regelmäßigkeiten. Seine heftige Malerei und auch seine seit 1969 konsequent verwendete »Motivumkehr« richten sich gegen das Ideal. Dabei setzt er sich mit tradierten Bildgegenständen auseinander. Auf seine »Helden«-Bilder folgten in den 1970er Jahren Serien von Baum- und Adlermotiven, Akte und Selbstbildnisse, teils in Fingermalerei-Technik. In den 1990er Jahren beschäftigte sich Baselitz unter anderem mit Themen wie Heimat, Kindheit und Volkskunst und verwies in diesem Zusammenhang des Öfteren auf seine persönliche Herkunft aus dem Osten Deutschlands.

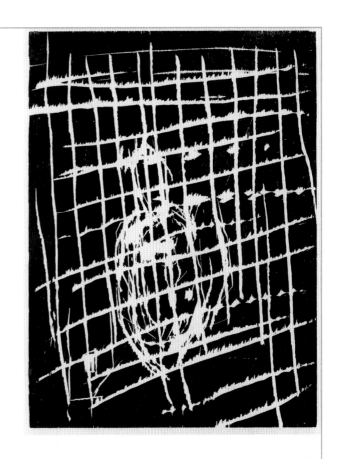

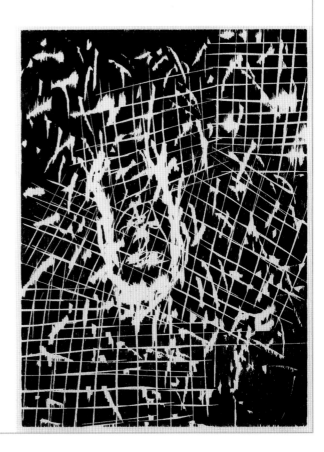

Georg Baselitz / Birkenwald, 1975 / Kohle, Aquarell, Gouache, 69,8 x 49,3 cm

Georg Baselitz / Sitzende (Elke-Akt), um 1975 / Öl auf Papier, 62 x 47,5 cm

Eberhard Havekost / Zensur, 2005 / Serie von 25 Inkjet-Prints, Blattmaß je 29,6 x 21 cm

Betrachtet man die Kunst ausschließlich als Bildmedium, zeigen sich im Vergleich von Kunstwerken mit den Erzeugnissen der mehrheitsorientierten modernen Medien Presse und Fernsehen mitunter Übereinstimmungen in verwendeten Strategien – beispielsweise im Spiel mit der Panik und dem Erschrecken des Betrachters. Die heutige aktuelle Kunstproduktion hat offensichtlich keinen spezifischen Zugriff auf die Darstellung gesellschaftlicher wie zwischenmenschlicher Missstände. Man stößt jedoch vor allem auf eine wesentliche Besonderheit der Kunst: Die Einzelstimme des Künstlers kann unter Umständen eine sehr subjektive Sicht der Dinge an ein größeres Publikum vermitteln, ohne dabei Begründungszwängen und Rechtfertigungspflichten zu unterliegen.

Eberhard Havekosts Arbeiten beschäftigen sich direkt mit der Rolle des medialen Bildes. Der zeitbezogene Realismus seiner Bilder erwächst aus der Feststellung, dass die Weltsicht des Westeuropäers im 21. Jahrhundert wesentlich durch von Massenmedien vorgeformte bildliche Stereotypen mitgeprägt wird. Eines seiner bisher wohl politischsten Werke, die Serie »Zensur«, isoliert Fragmente von Menschenbildern aus dem Kontext der Medienberichterstattung über Terrorismus, Krieg und Bedrohung. Die gezeigten Waffen, Tarnanzüge, Verwundeten und mit schwarzen Balken über der Augenpartie halbherzig anonymisierten Gesichter bringen höchst aktuelle Themen direkt ins Bild. Gleichzeitig vermittelt sich so die Sichtweise des Künstlers, nach der formale, sich über die Struktur der Bilder mitteilende Faktoren wesentlich für unsere Wahrnehmung der Wirklichkeit sind. In den fragmentierten Darstellungen und im Titel der Arbeit ist der Verweis auf das Fragwürdige der scheinbaren Grenzenlosigkeit unseres Informationszugangs enthalten.

Eberhard Havekost / P.L.C. 1, 1998 / Gouache auf Papier auf Pappe/Karton, 29,6 x 22 cm

Eberhard Havekost / P.L.C. 2, 1998 / Gouache über Laserkopie auf Pappe/Karton, 29,6 x 22 cm

Thomas Scheibitz
Ohne Titel, 2002
Bemaltes Sperrholz,
Plastik, bedrucktes
Papier, Zeichenkarton,
Spray, maximale Maße
49 x 40 x 21,5 cm

Wenn ein Künstler wie **Thomas Scheibitz** auf einem *»Gelände zwischen den gewohnten Formen«*[4] arbeitet und sich mit seiner Malerei der Bilderzählung konsequent verweigert, so kann diese ›coole‹ Distanz – zur Realität wie zum künstlerischen Umfeld – nicht nur als künstlerische Behauptung, sondern auch als Rückzug in die »heile Welt« rein formaler bildnerischer Problemstellungen verstanden werden. Dabei bewegt sich Scheibitz' Werk zweifellos in der Nähe zu bestimmten Aspekten der Gegenwart. In seinen Bildern sind Verweise auf Architektur, Landschaft, Figur oder Schrift angedeutet, es lässt sich jedoch *»weder Affirmation noch Kritik zeitgenössischer Kultur«*[5] erkennen. Scheibitz entzieht sein Werk weitgehend der Interpretation und sich selbst damit den Zuordnungen zum außerkünstlerischen Kontext.

Im traditionell geprägten Kunstbegriff schwingt allgemein noch immer der Beiklang eines harmonischen Refugiums, einer heilen Welt des Ästhetischen und des Rückzugs in die Idylle des Schönen mit. Selbst im Jahrhundert nach Moderne und Postmoderne ist dieses Konzept noch lebendig und offenbar unausrottbar, ungeachtet des vielfältigen Reagierens zeitgenössischer Kunst auf Probleme der Gesellschaft.

Ein allgemeines »Postulat des Schönen« in der Kunst scheint mit abnehmendem Fortschrittsoptimismus immer weniger vorstellbar. Noch die Kunst des Bauhauses hatte sich gegen eine Haltung gewandt, die Schönheit und Harmonie als Ideal der Kunst unerreichbar und die Kunst abseits des Lebens sah. Utopien brauchen geistige Entwürfe, doch die Kunst kann nicht mehr Wegbereiter für den Fortschritt sein, wenn zu diesem allerorten der Bauplan fehlt. Ihr bleibt höchstens das »Durchspielen« von Modellentwürfen.

Dem Fehlen greifbarer gesellschaftlicher Utopien ist nicht zuletzt auch eine Vereinzelung von künstlerischen Ansätzen zuzuschreiben. Der Optimismus von Joseph Beuys hinsichtlich einer Umgestaltung der Welt mit den Mitteln der Kunst scheint angesichts der Entwicklungen der Globalisierung und der Individualisierungstendenzen künstlerischer Positionen überholt. Unbekannte haben die Giardini der Biennale in Venedig 2005 mit in dieser Richtung provozierenden Aufklebern bestückt, auf denen es hieß: *»Solidarité? NON! Je suis Artiste!«*. Der Künstler ist in seinem Schaffensprozess allein und grenzt sich auch darüber hinaus oft ab.

4   Julian Heynen, in: La Biennale di Venezia 2005, Deutscher Pavillon, S. 4.
5   Ebd., S. 5.

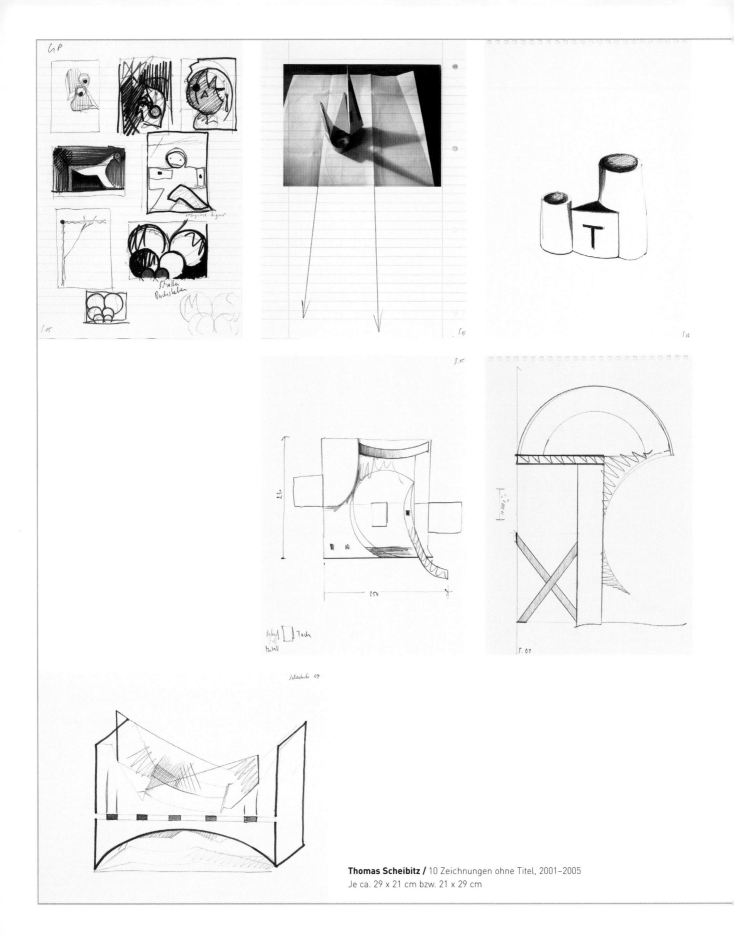

Thomas Scheibitz / 10 Zeichnungen ohne Titel, 2001–2005
Je ca. 29 x 21 cm bzw. 21 x 29 cm

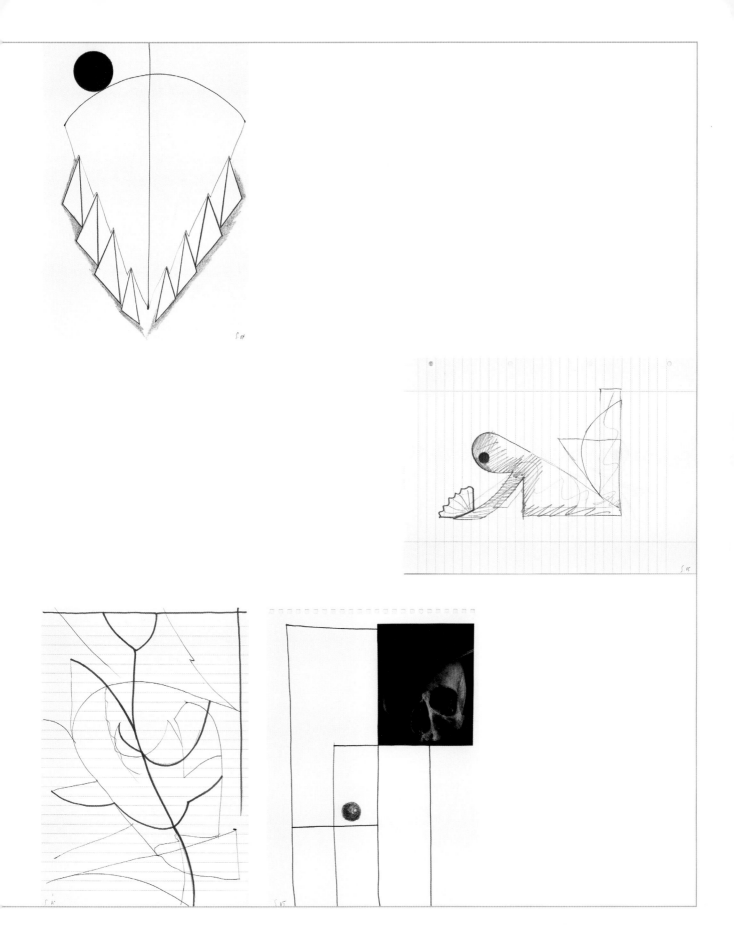

Thomas Scheibitz / Ohne Titel (GP 99), 2005 / Vinyl, Spray, Pigmentmarker, 225 x 158 cm

Thomas Scheibitz / Ohne Titel (GP 96), 2005 / Vinyl, Spray, Pigmentmarker, 225 x 155 cm

Olaf Holzapfel / Handel, 2003 / Papier/Pappe, ca. 64 x 75,5 x 11 cm

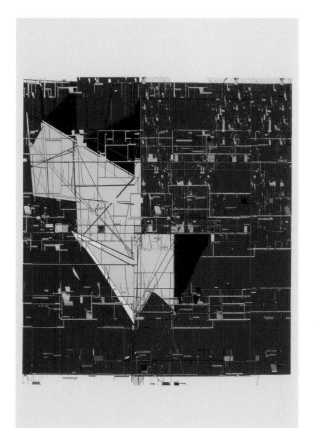

Olaf Holzapfel / Loud, 2004 / Inkjet-Print, 42 x 29,7 cm

Olaf Holzapfel / Two Ducks, 2004 / Inkjet-Print, 42 x 29,7 cm

Olaf Holzapfel führt nicht die Welt ins Bild die wir sehen, sondern setzt sich mit Strukturmodellen zu deren möglichen Zusammenhängen auseinander. Themen der Globalisierung oder der Organisation von digitalen Informationen können für ihn zu Ausgangspunkten für Bilder werden. Ohne den Anspruch direkter Abstraktion von der Wirklichkeit versucht er, visuelle Entsprechungen für spezifische Phänomene unserer Zeit zu finden.

Barbara Kruger / Ohne Titel (You, me, we), 2003 / Siebdruck auf Vinyl, 155 x 124 cm

Barbara Kruger eignet sich vorhandenes Bildmaterial an, widmet es um, bricht und reduziert es formal präg-
nant auf seinen ideologisch-suggestiven Inhalt. Diese ›Konzeptkunst mit Botschaft‹ hat nach der ihr zugrunde
liegenden Strategie bereits den Begriff der »appropriation art« hervorgebracht. Mit ihren teils provokanten
Slogans in großformatigen Photocollagen greift sie soziale und politische Themen in einer der Werbeästhetik
entlehnten und dadurch selbst inhaltstragenden Ästhetik auf.

Barbara Kruger / Ohne Titel (You transform prowess into pose), 1983 / Photographie, 185 x 120 cm

Louise Lawler / Federal Offense, 1999 / Cibachrome, Diasec, 102 x 127 cm

Louise Lawler / C.S.# 204 (Cindy Sherman), 1990 / Cibachrome, 102 x 138,4 cm

Louise Lawler zeichnet photographisch auf, in welchem Umfeld und unter welchen Bedingungen Kunst präsentiert wird, wie Situation und institutioneller Kontext der Präsentation ein Kunstwerk unter Umständen verändern können. Im Rahmen von Ausstellungen agierte sie auch schon als Kuratorin oder Kunsthändlerin und unterläuft so das klassische Rollengefüge des Kunstbetriebs. Mit ihrem kommunikationskritischen Konzept weist sie auch auf die Macht der Konventionen und Institutionen hin.

Cindy Sherman / Ohne Titel # 170, aus der Serie »Fairy Tale Disasters«, 1987 / Cibachrome, 179,1 x 120,7 cm

Angesichts von **Cindy Shermans** photographischer Inszenierung des Schauplatzes einer Vergewaltigung mit wenigen, stilllebenhaft zueinander in Beziehung gesetzten Indizien sehen wir uns unvermittelt auf mögliche Unheilsszenarien verwiesen. Auch ihre Selbstinszenierung in vermeintlichen Still-Photographien zu imaginären Filmen, hier in den Rollen von »Murder Mystery People«, stellt die Künstlerin durch ihre Bildtitel in den Kontext einer dunklen, unheilvollen Handlung. Eines ihrer Themen ist die Auseinandersetzung mit dem wichtigsten Massenmedium des 20. Jahrhunderts – dem Film.

Diese Form des Umgangs mit der Wirklichkeit, die Überspitzung, Dekonstruktion und Rekonstruktion von Medien-Bildern ist im weitesten Sinne auch mit künstlerischen Ansätzen von Eberhard Havekost oder Tacita Dean vergleichbar. Hinter dem Themenspektrum dieser Künstler steht letztlich auch die Frage, ob von Bedrohungen ungefährdete Lebensbereiche überhaupt noch möglich sind. Vor dem Hintergrund aktueller Gefahren und düsterer Zukunftsprognosen in Wirtschaft, Politik und Ökologie mehrten sich in den vergangenen Jahren Stimmen aus verschiedensten Richtungen, die eine Rückkehr zur Romantik als Gegenkonzept zur »immer hässlicher werdenden Welt« ankündigten. Zumindest im Bereich von Kunstausstellungen lässt sich in den letzten Jahren die vermehrte Hinwendung zum Themenkreis der Romantik und des »Schönen in der Kunst« eindeutig feststellen.[3] Ausstellungen wie »Schönheit der Malerei« in der Städtischen Galerie Delmenhorst und »Über Schönheit« im Berliner Haus der Kulturen der Welt belegen das neue Interesse für diesen Zugang zur Kunst. Indirekt nehmen auf diese Weise auch kunstvermittelnde Institutionen durch ihre Lenkung der öffentlichen Rezeption deutlich Stellung zum Zustand der Welt.

3   Siehe dazu beispielsweise: Kunstzeitung Januar 2006, Ausstellungsausblick, S. 10/11.

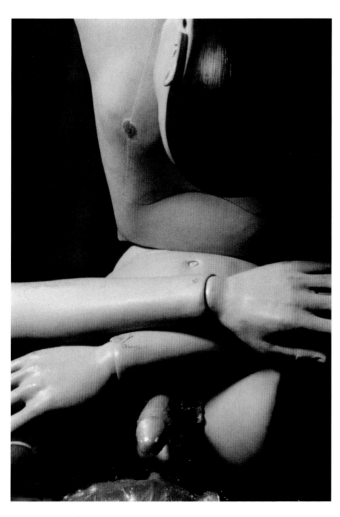

Cindy Sherman / Ohne Titel # 259, aus der Serie »The Sex Pictures«, 1992
Cibachrome, 152,4 x 101,6 cm

Cindy Sherman / Ohne Titel # 312, aus der Serie »The Sex Pictures«, 1994
Cibachrome, 154,9 x 105,4 cm

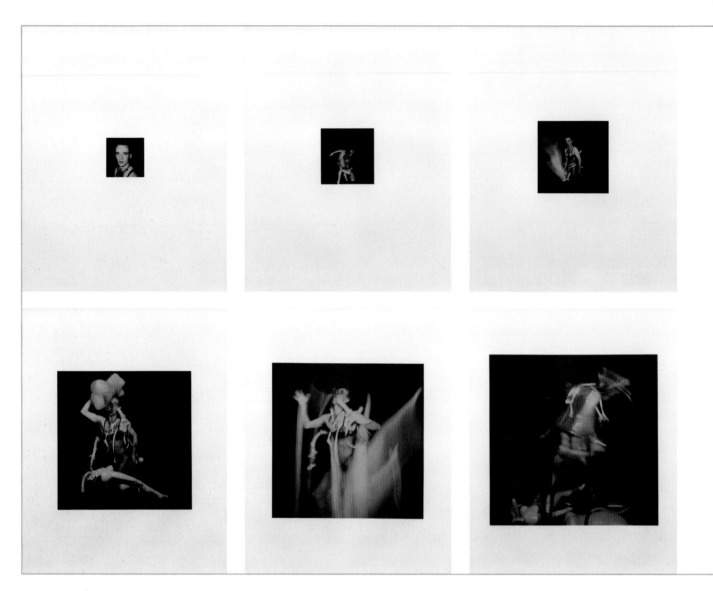

Jürgen Klauke / Dr. Müllers Sex Shop oder So stell' ich mir die Liebe vor, 1977 / 13-teilige Photosequenz, Blattmaß je 50 x 40 cm

Die Bildinszenierungen von **Jürgen Klauke** zeigen in ihrem expressiven Gestus mitunter durchaus Ähnlichkeiten zu denen Hödickes und Middendorfs, ebenso aber auch zu den Arbeiten eines jüngeren leidenschaftlichen Schau-kämpfers gegen die Konventionen: Jonathan Meese.

Klaukes zudringliche Bilder ziehen komödiantisch mit Lust und Ekel obszöne Wünsche und Phantasien ins Licht. Geradezu schwelgerisch und mit brutaler Offenheit inszenierte der Künstler das Tabu auf der Bühne. Zwischen der Persiflage sexueller Offenheit und dem Durchspielen verschiedener Geschlechteridentitäten changierend, konfrontiert Klauke den Betrachter weniger mit der Realität als mit seinen eigenen Überzeugungen über die Dinge. Auf einer allgemeineren Ebene geht es um Denunziation und Dekonstruktion eingefahrener Ty-pologien, durch den »*Pakt mit dem Denunzierten*«.[8]

8 Gespräch mit Peter Weibel, in: Der anagrammatische Körper in der Kunst, Köln 2000, S. 29/30.

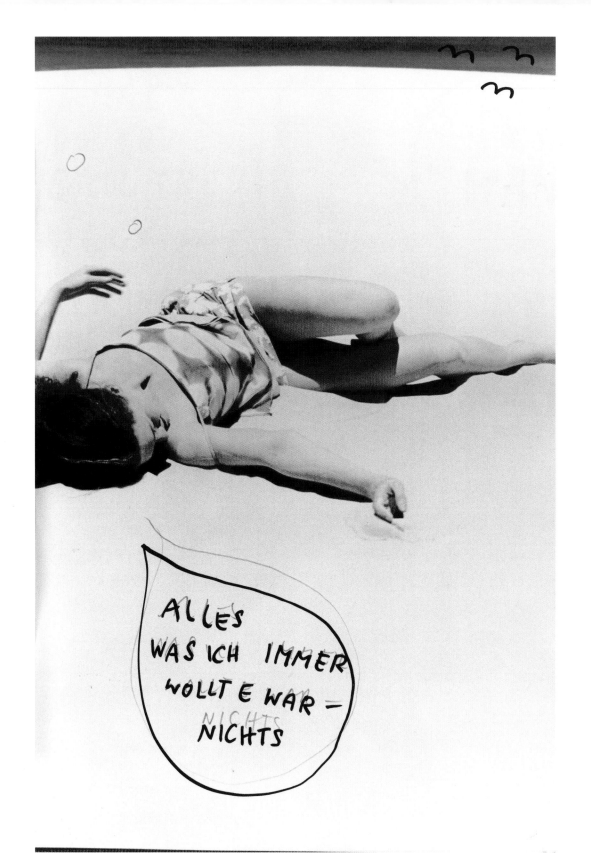

Martin Eder / ... NICHTS, 2000 / C-Print, 91 x 61 cm

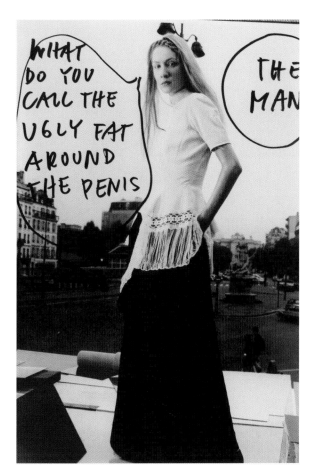

Martin Eder / YAMAMOTO, 2000 / C-Print, 91 x 61 cm

Martin Eder / PRADA, 2000 / C-Print, 91 x 61 cm

Auch den in großformatige Photographien gebannten, flüchtigen Notaten von **Martin Eder** liegt Medienmaterial zugrunde. Dieses wurde mit Textkommentaren versehen und photographisch reproduziert. Eders Ansatz kommuniziert damit eine vornehmlich formale Aussage. Seine hingeworfenen Sprechblasen sind bar jeder planvollen Ästhetik, stellen sich als geringschätzige Kommentare vor die sorgfältig inszenierten Werbebilder und führen deren Form wie auch ihre Aussage ad absurdum. Argumentierende Konsumkritik ist danach nicht mehr nötig. Neben der Medienkritik durch ironische Verunglimpfung betont der Künstler mit dieser Geste auch seine Rolle als Kommentator der Welt, dessen minimalste Bildäußerung das minderwertigste Material aufwertend zu verändern vermag. Das Intuitive in Eders hingeworfenen Kommentaren führt zu einem weiteren Wahrnehmungs- und Verfremdungsmoment.

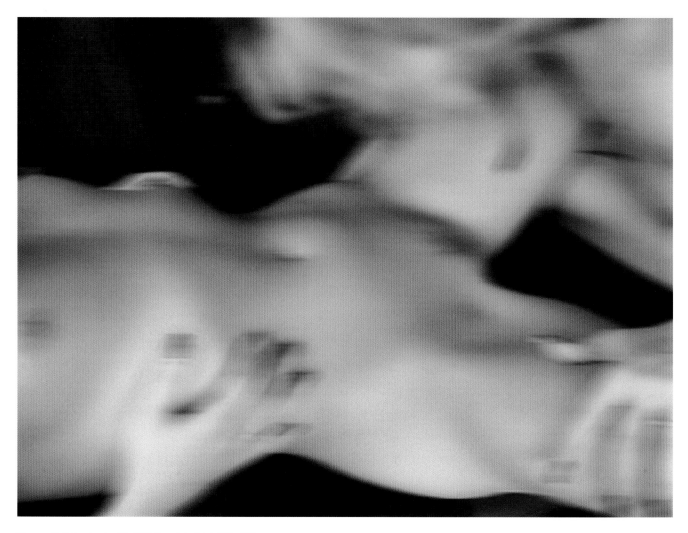

Thomas Ruff / nudes fee 18, 2001 / Lambda Print, 112 x 142 cm

Thomas Ruff lenkt mit seinen »Nudes« distanziert, aber ebenso kritisch den Blick auf Aspekte moderner Sexualität, nämlich auf die Warenwelt pornographischer Bilder in den elektronischen Medien. Indem er das Einzelbild aus der Flüchtigkeit der digitalen filmischen Existenz herauslöst und als großformatige Photographie dauerhaft festhält, andererseits aber per Computermanipulation verändert und dem Inhalt nach uneindeutig macht, schafft er deutliche Distanz zum ursprünglichen Zweck seiner Bildvorlagen. Die Verfremdung und das Festhalten führen zu einer Reflexion über die Anonymität und Einsamkeit der elektronischen Vergnügungswelt.

Sigmar Polke / Kölner Bettler, 1972 / Folge von vier Offsetlithographien, 33 x 44 auf 42,8 x 60,5 cm

In **Sigmar Polkes** Kunst nimmt Ironie einen wichtigen Stellenwert ein. Unter bewusster Missachtung korrekter photochemischer Rezepturen experimentierte er mit dem photographischen Bild. Die so erzielten Verfremdungen stellen sich vor den simpel dokumentarischen Inhalt der Bilder und vor etwaige inhaltliche Anteilnahme oder gar soziale Anklage des Künstlers, der so vielmehr die Bedingungen und Möglichkeiten der Photographie und deren Rolle als realitätsvermittelndes Medium untersucht. Zwar wird auf photographischem Weg das Dabei-Sein zum Abbild, das Erleben zur Rezeption, doch bringen die chemischen Manipulationen den Faktor des Subjektiven überdeutlich ins Bild, wie dies allein durch die Motivwahl kaum möglich wäre.

Arnold Odermatt / Buochs, Motiv 1711, 1979 / Photographie, 30 x 30 cm

Arnold Odermatt / Hergiswil, Motiv 30, 1966 / Photographie, 30 x 40 cm

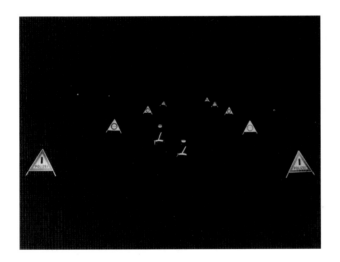

Arnold Odermatt / Hergiswil, Motiv 1601, 1961 / Photographie, 30 x 40 cm

Arnold Odermatt / Stansstad, Motiv 130, 1969
Photographie, 40 x 30 cm

Arnold Odermatts skurrile Photographien führen zu Fragen nach der Rolle und Stellung des Künstlers in der Gesellschaft und auch nach der Rolle des Kunstmarktes. Odermatt selbst behauptete auch nach Teilnahme an der 49. Biennale in Venedig, kein Künstler zu sein. Als Verkehrspolizist und Polizeiphotograph im Schweizer Kanton Nidwalden photographierte er seit den 1950er Jahren. Ausgangspunkt für seine Motivwahl war der Berufsalltag – das Aufnehmen von Verkehrsunfällen und die alltäglichen Abläufe in der Polizeiwache. Erst nach seiner Pensionierung wurden Odermatts Arbeiten in den 1990er Jahren von der Kunstwelt entdeckt und ausgestellt. Mit der gegebenen historischen Distanz betrachtet, erscheinen seine präzise komponierten Bilder als etwas anderes als das, was sie ursprünglich waren. Mit ihrer geradezu friedlichen und harmlos wirkenden Atmosphäre könnten sie heute »*eine Art ironischer Kommentar zum heutigen Verkehrswahnsinn*«[6] abgeben.

6   Hans-Hermann Kotte, Berliner Zeitung, 1.8.2001, S. 10.

Thomas Demand / Grube/Pit, 1999 / C-Print, Diasec, 229 x 167 cm

Candida Höfer / Kuranlage Baden-Baden, 1981/ C-Print, 38 x 57 cm

Mittels Verfremdung lässt sich immer der Blick auf die Frage nach der ursprünglichen Wirklichkeit lenken. **Thomas Demand** verfremdet nicht, er ersetzt die Realität, indem er sie aus Papier nachbaut, präzise ausleuchtet und photographiert. Seine Motive findet er ebenfalls im Alltäglichen, wohl nicht zuletzt deshalb, weil die Überzeugungskraft des Gewohnten seine Motive trotz ihrer Künstlichkeit umso authentischer, wie Ausschnitte aus einem größeren Zusammenhang erscheinen lässt. Durch formale photographische Mittel überhöht er seine Surrogat-Konstruktionen zu vermeintlichen Abbildern des Wirklichen.

Auf ebenso frappierende Weise, wie Thomas Demands Bilder Realität ›rekonstruieren‹, bewegen sich reale Orte in den Photographien von **Candida Höfer** in eine irreal beruhigte Richtung. Die von ihr photographierten Räume wie Museen, Bibliotheken oder Sanatorien sind meist öffentlich zugänglich, doch ihr photographisches Abbild lässt sie als Orte der Zeitlosigkeit und meditativen Stille erscheinen, als ideale Prototypen für konfliktfreie Orte, die sich nicht sehr weit entfernt von einer »heilen Welt« befinden können.

Candida Höfer / TV-Lounge Scarborough, 1980 / C-Print, 32 x 57 cm

Candida Höfer / Deutsches Hygiene Museum Dresden III, 2000 / C-Print, Bildmaß 60 x 60 cm

Peter Doig / Curious, 2005 / Farblithographie, 57 x 45,5 auf 63 x 50 cm

Peter Doig / Ohne Titel, 2005 / Farblithographie, 57 x 45,5 auf 63 x 50 cm

Peter Doigs Farblithographien beschreiben nicht nur die vermeintlich heile Welt seiner karibischen Wahlheimat Trinidad, sie stellen unterschwellig Übergänge zwischen Sehnsuchtsbildern, Schrecken und dunklen Vorahnungen zur Diskussion. »*Die Bilder handeln alle von der selben Suche nach irgendetwas*«, kommentierte der Künstler seine Arbeit.[9] Die Anlässe zu seinen Bildfindungen entstammen zwar der Realität, deren manchmal düstere, manchmal auch humorvolle Kommentierungen gewinnen in den Bildern selbst jedoch die Oberhand, was dem Künstler bereits die Charakterisierung als »Pionier der neuen Romantik« einbrachte.

9   Rheingold III, Ausstellungskatalog des Museums Abteiberg Mönchengladbach, Frankfurt am Main 2005, S. 54.

Peter Doig / Paragon, 2005 / Farblithographie, 57 x 45,5 auf 63 x 50 cm

Peter Doig
Lapeyrouse Wall, 2005
Farblithographie,
45,5 x 57 auf 50 x 63 cm

Peter Stauss / Ohne Titel (1), 2001 / Bleistift, 27,8 x 21 cm

Peter Stauss / Ohne Titel (3), 2001 / Bleistift, 28,8 x 21 cm

Peter Stauss' Arbeiten sind in einem entrückten Phantasiereich angesiedelt. Seine Bilderzählung fängt sich selbst im Labyrinth der Zeichenlinien ein. In letztlich unbeherrschbarer Raum-Zeit-Dynamik vermischen sich Rückkoppelungen von Erzählsträngen von bettelnden Hippies, Piraten und vermeintlichen Wilden mit Maschinenmenschen und anderen sich in Ornamenten auflösenden hybriden Phantasiewesen.

Peter Stauss / Ohne Titel (2), 2001 / Bleistift, 29,6 x 21 cm

Peter Stauss / Ohne Titel, 2002 / Tusche, 19 x 28 cm

Peter Stauss / Ohne Titel, 2002 / Tusche, 19 x 28 cm

Frank Nitsche / 4 Zeichnungen ohne Titel, 2006 / Bleistift, jeweils 26,9 x 20,9 cm

Frank Nitsche / PODE, 2004
Offset-Lithographie, 40 x 30 auf 46,6 x 34,8 cm

Frank Nitsche / Ohne Titel, 2004
Offset-Lithographie, 40 x 30 auf 46,6 x 34,8 cm

Frank Nitsches Motive entstammen seiner persönlichen Alltagswelt, wenn dies auch wenig offensichtlich ist. In seinem Atelier baut der Künstler Podeste aus leeren Getränkedosen, mit Plastikfolie umschlossen und mit allerlei gesammelten Aufklebern verziert. Sie dienen ihm als Ablage und Abstellfläche und bekommen zu Türmen gestapelt skulpturalen Eigenwert. Als Postamente für Mickey Mouse oder den Totenkopf in der Baseballmütze werden sie zu zeitgeistigen Fußnoten eines etwaigen Kommentars zur Trivialkultur oder zur Beschwörung der eigenen Vergänglichkeit.

Frank Nitsches Zeichnungen sind hingegen eng mit seiner Malerei verbunden. Hinter deren abstrakten Konstruktionen stehen subjektive Interpretationen einer ins Präzise entrückten Wirklichkeit. Die Radierspuren unter den klaren Linien erscheinen in diesem Zusammenhang als Metapher für die Distanz zwischen »Soll« und »Ist«.

Thomas Schütte / Ohne Titel (Sophie), 2005 / Mappe mit 25 Nyloprints, Blattmaß je 76 x 56 cm

Thomas Schüttes tagebuchartige Serien von Radierungen zeigen Pflanzen, Tiere oder, wie hier, Porträts. Die serielle Arbeit gibt dem diffizilen Experimentieren mit der klassischen Drucktechnik Raum. So entstehen formale Variationen über ein eng festgelegtes Thema, das mit der Wiederholung für den Betrachter jedoch in den Hintergrund rückt und Platz macht für die Betrachtung von Zeichnung, Farbe und drucktechnischer Perfektion.

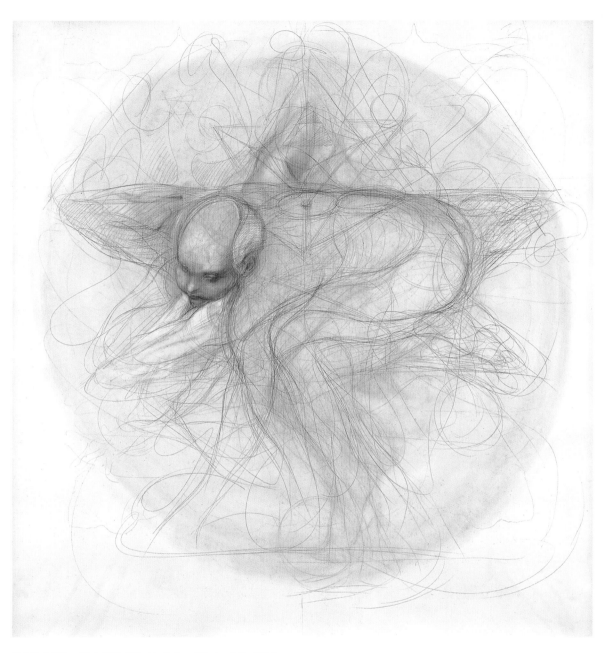

Dirk Bell / Ohne Titel, 2004 / Mischtechnik auf Papier, 165 x 157,8 cm

In einer überdimensionalen Kreisform gerinnen skizzenhaft suchende Linien zu einer sich langsam wie aus dem Blatt erhebenden Figur, die trotz ihrer noch ungeformten Gliedmaßen an William Blakes »The Ancient of Days« erinnert. **Dirk Bells** Zeichnungen zeigen gewisse motivische Verbundenheiten mit Fantasy-Illustrationen und düster romantisierender Airbrush-Kunst. Konsequent der Wirklichkeit draußen vor der Tür abgewandt, bezieht Bell seine Bildgegenstände aus Kunst und Kunstgeschichte – zwischen Hochkunst und dem Trivialen verschwimmen dabei mitunter die Grenzen.

1 2
3 4

Tacita Dean / Mappe »The Russian Ending«, 2001 / 20 Photogravüren, 19 x je 58 x 83 cm + 1 x 83 x 58 cm

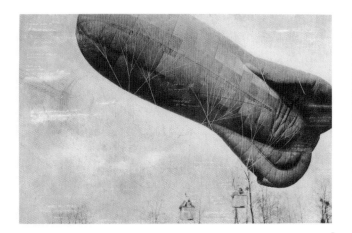

5 6
7 8

Tacita Deans »The Russian Ending«, eine Serie namenloser Katastrophenszenarien des frühen 20. Jahrhunderts, ist komplexe Bilderzählung in mehreren Sinn- und Bedeutungsschichten. Der Titel bezieht sich auf die in der Stummfilmzeit geläufige Konvention der Neufassung von Endsequenzen westlicher Filme speziell für den russischen Filmmarkt. Die Künstlerin beansprucht also die Umwertung ihrer gefundenen Bildmotive in Schlussbilder imaginärer Filme. Die Ansammlung von Schiffsuntergängen, Schlachten, Naturkatastrophen, Beerdigungen, Explosionen und Brückeneinstürzen, dargestellt in der klassischen Technik der Photogravüre, erscheint als Geschichtsbericht zu den längst vergessenen dargestellten Ereignissen und zum Einsatz des Mediums der Photographie. Bereits vor hundert Jahren hatte der Schrecken einen hohen Nachrichtenwert. Die verwendeten Postkartenmotive führen über diesen inhaltlichen Aspekt recht geradlinig zu einer aktuellen Kritik an der heutigen Berichterstattung der Sensationspresse und der Fernseh-Boulevardmagazine. Auf einer allegorischen Ebene stehen die Darstellungen aber auch pars pro toto für das zurückliegende Jahrhundert, dessen Trümmerspur eine Geschichte des Scheiterns menschlicher Vernunft beschreibt. Mit historisch weit hergeholtem Ausgangsmaterial formuliert die Künstlerin Kommentare zu verschiedenen Aspekten heutiger Wirklichkeit.

9   10
11   12

13 14
15 16

17   18
19   20

Nina Pohl / Ohne Titel (Gemälde), 2005 / C-Print, Diasec, 257 x 185 cm

Auch **Nina Pohls** Arbeit »Gemälde« bedient sich eines von fremder Hand geschaffenen Bildes und führt es quasi »in die Realität« zurück – zumindest in die vermeintliche Realität der Photographie – indem sie ein photographiertes Landschaftsgemälde des 19. Jahrhunderts mit einer photographierten Landschaft verschweißt. Photographie wird als Malerei und Malerei in der photographischen Reproduktion weitergeführt. Damit stellt sie die oft gestellte Frage nach Schein und Wirklichkeit neu – in der Balance zwischen scheinbar romantischer Innerlichkeit und der entfremdeten Inszenierung medialer Realität.

Jonathan Meese / Archaeopteryx, 2003 / Bronze, 48,5 x 22 x 35 cm

Jonathan Meese / Ohne Titel (Gib mir die Dinger so wie sie sind), 1995
Acryl, 32 x 24 cm

Jonathan Meese / Ohne Titel (Mr. Goldlippe), 1995
Bleistift, Acryl, 32 x 24 cm

Jonathan Meese eine späte Verwandschaft mit den »Neuen Wilden« der 1980er Jahre nahe zu legen, funktioniert nur oberflächlich. Freilich ist seine Attitüde nicht weniger impulsiv. Ob in mitunter raumgreifenden Installationen oder auf dem Zeichenblatt, er bricht einen uferlosen Zeichenstrom los, der ohne Unterschied alles ergreift. Sämtliche Epochen der Geschichte, Trivialkultur, Musik und Kino finden Eingang in sein Werk, dem das Verständnis der Welt als »Ort der Haltlosigkeit« zugrunde liegt. Hier liegt in der Form nur der kleinste Teil des ›Kunstwollens‹, der Künstler nimmt sich in dieser Hinsicht bewusst zurück. Bilder sind für ihn »gesudete Texte«, seine Arbeitsgeschwindigkeit ergibt sich aus dem *Stakkato der Clip- und Zaptechnik*«.[7]

7   Harald Falckenberg, in: Jonathan Meese. Revolution. Katalog der Kestner Gesellschaft Hannover, 2003, S. 38.

Jonathan Meese / Ohne Titel (Er war einfach zu stark), 1995
Kugelschreiber, Acryl, 32 x 24 cm

Jonathan Meese / 3 Burschis, 1993/94
Gouache, 41,5 x 29,5 cm

Jonathan Meese / Ohne Titel (Kopf, rote Stirn und Nase), 1995
Filzstift, Acryl, 32 x 24 cm

Jonathan Meese / Ohne Titel (Enthüllungen einer Person), 1995
Kugelschreiber, Acryl, 32 x 24 cm

Jonathan Meese / Ohne Titel, aus: Die Kapitano-Bligh-Serie, Nr. 08 (S. 97 o.l.), 20 (S. 97 o.r.), 34 (S. 97 u.r.), 60 (S. 96), 62 (S. 97 u.l), 2002
Laserkopien, Photographien, Öl, Filzstift, Kugelschreiber, Bleistift, jeweils 42 x 29,2 cm

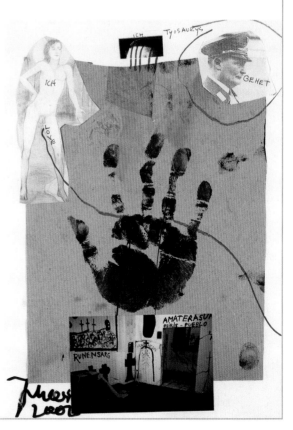

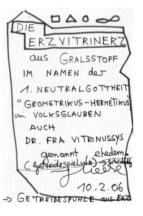

Jonathan Meese / DIE ERZVITRINERZ, 2005/06 / Vitrine, Öl, verschiedene Materialien, 100 x 70 x 100 cm

Markus Draper / Rock your World #3, 2004
Laserkopien, Collage, 65 x 50 cm

Markus Draper / Thin Skin #2, 2004
Laserkopien, Collage, 40,5 x 29 cm

Markus Draper schärft den Blick für Strukturen, die direkte Bezüge zu erlebter Wirklichkeit haben, doch am
äußersten Rand üblicher Wahrnehmung stehen. Er überführt Details aus zumeist urbanem Kontext in eine Welt
der Möglichkeiten und Eventualitäten.

Charakteristisch für seine Arbeit ist das Prinzip der Collage. Er isoliert und entkleidet Bekanntes, widmet es um
und stellt es in neue Zusammenhänge jenseits von vertrauter Sicherheit. Verschlüsselt wirft er virulente Fragen
auf, wie beispielsweise die nach der zeitlichen Endlichkeit von Architektur, und deutet Ahnungen möglicher Zu-
kunftsszenarien an.

Markus Draper / Thin Skin #4, 2004
Laserkopien, Collage, 41 x 29,5 cm

Markus Draper / Thin Skin #6, 2004
Laserkopien, Collage, 41,5 x 29 cm

Markus Draper / Kammer, Photogravüre, 2005
28,8 x 17,6 auf 38,7 x 28,2 cm

Markus Draper / Steilwand, Photogravüre, 2005
28,7 x 19,9 auf 38,7 x 28,2 cm

Markus Draper / Randlage, Photogravüre, 2005
28,7 x 19,9 auf 38,7 x 28,2 cm

Markus Draper / Schleife, Photogravüre, 2005
28,8 x 19,5 auf 38,7 x 28,2 cm

Jan Brokof / 1. Mai, 2004 / Bleistift, 17 x 24 cm

Jan Brokof / Hasenkäfig, 2003 / Holzschnitt, 65 x 65 cm

Jan Brokof / Spaziergang, 2004
Tusche, 25 x 25 cm

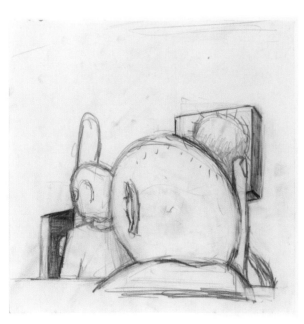

Jan Brokof / Geh spielen, Junge, 2004
Bleistift, 40 x 40 cm

Das Spiel mit der schlichten Linie als Teil einer komplexen Ideenwelt verwendet **Jan Brokof**. Eines seiner wichtigsten Themen ist die »Jugenderinnerung«, die autobiographisch mit großer Authentizität, und doch in den Details typisierend und verallgemeinernd daherkommt. Die Formensprache seiner Zeichnungen erscheint gleichermaßen als expressive Entzündung am Thema seiner Bilderzählung und als Versuch einer adäquaten Sprachfindung für seinen (Bild-)Text. In der harten Form seiner Holzschnitte nimmt die zwischen bitter und humorvoll changierende Analyse des untergehenden Soziotops der ostdeutschen Plattenbausiedlungen ikonische Form an. Druckplatten stehen für Bau-Platten.

Bettina Schöner / Äußere Neustadt, Dresden, 1990/91 / Insgesamt 90 Photographien, je 30 x 21 auf 50 x 40 cm bzw. 21 x 30 auf 40 x 50 cm

Eine scheinbare Emotionslosigkeit der Betrachtung liegt den Photographien von **Bettina Schöner** zugrunde. Ihre Serie von 90 Aufnahmen aus der Dresdner Äußeren Neustadt entstand 1990. Diese umfangreiche ›Momentaufnahme‹ zeigt das in der DDR vernachlässigte Gründerzeitviertel in einem der letzten Augenblicke des Stillstands. Die kurze Periode nach dem Ende der DDR erscheint aus heutiger Perspektive als ein Atemholen vor dem Beginn von Sanierungen, Investitionen und Geschäftsgründungen, die das Gebiet in den letzten fünfzehn Jahren unter anderem zu einem quirligen Zentrum des Nachtlebens gemacht haben. Der historische Aufnahmezeitpunkt lädt die distanziert aufgenommenen Ansichten emotional auf und wird zur eigentlichen Bilderzählung, die den dokumentarischen Aspekt überlagert.

Rosemarie Trockel / Ohne Titel (Rorschach), 1992 / 130 x 115 cm

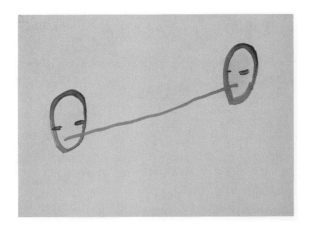

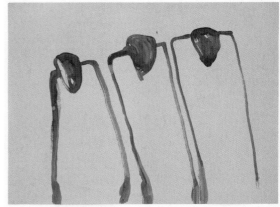

Rosemarie Trockel / Ohne Titel, 1982 / Dispersion, Graphit, 21 x 29 cm   **Rosemarie Trockel /** Ohne Titel, 1982 / Dispersion, 21 x 29 cm

Rosemarie Trockel arbeitet in vielen unterschiedlichen künstlerischen Gattungen und Medien. Sie entwickelt ihr Werk nicht linear, sondern geht bewusst künstlerische Umwege und verfolgt komplexe Themengruppen, wie die »Familienporträts« oder das »Liebespaar-Projekt«.

Bei ihren Arbeiten sind es oft die feinen Zusammenhänge und Kausalitäten überkommener weiblicher Rollenbilder, aber auch politische Situationen, mit deren Beschreibung in Bild und Objekt die Künstlerin auf reale Schräglagen in Alltagsverhältnissen wie im Kunstbetrieb Bezug nimmt. Ihre Werke reflektieren ihren Standpunkt eines dezidiert weiblichen Künstlertums. »Wollbilder« und »Herdplastik« gehen beispielsweise von banalen und alltäglichen Zusammenhängen aus, die sich assoziativ mit der traditionell typischen Hausfrauenrolle verbinden. Im Kunst-Kontext, entfremdet von ihrer angestammten Funktion, treten die Objekte aus ihrem banalen häuslichen Zusammenhang.

Rosemarie Trockel / Ohne Titel, um 1982
Gouache, 20,5 x 14,5 cm

Rosemarie Trockel / Ohne Titel, um 1982 / Gouache, Acryl, 29,5 x 20 cm

Rosemarie Trockel / Ohne Titel, 1982 / Gouache, 20,5 x 14,5 cm

Rosemarie Trockel / Ohne Titel, 1982 / Gouache, 20,5 x 14,5 cm

Rosemarie Trockel / Ohne Titel, um 1982 / Gouache, Acryl, 10,5 x 14 cm

Rosemarie Trockel / Alice im Wunderland, 1995
Serigraphie und Übermalung, 101,5 x 80 cm

Rosemarie Trockel / Alice im Wunderland, 1995
Serigraphie und Übermalung, 101,5 x 80 cm

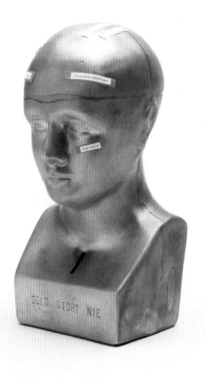

Rosemarie Trockel / Alice im Wunderland, 1995
Serigraphie und Übermalung, 101,5 x 80 cm

Rosemarie Trockel / Geld stört nie, 1991
Zinkguss, beklebt und beschriftet, 28,5 x 15,5 x 13,5 cm

Rosemarie Trockel / Alice im Wunderland, 1995
Serigraphie und Übermalung, 101,5 x 80 cm

Rosemarie Trockel / Alice im Wunderland, 1995
Serigraphie und Übermalung, 101,5 x 80 cm

Rosemarie Trockel / Integration of Shadow, 1991
Pappmaché und Farbe, 28,5 x 13,5 x 13,5 cm

Rosemarie Trockel / Alice im Wunderland, 1995
Serigraphie, 91 x 70 auf 101,5 x 80 cm

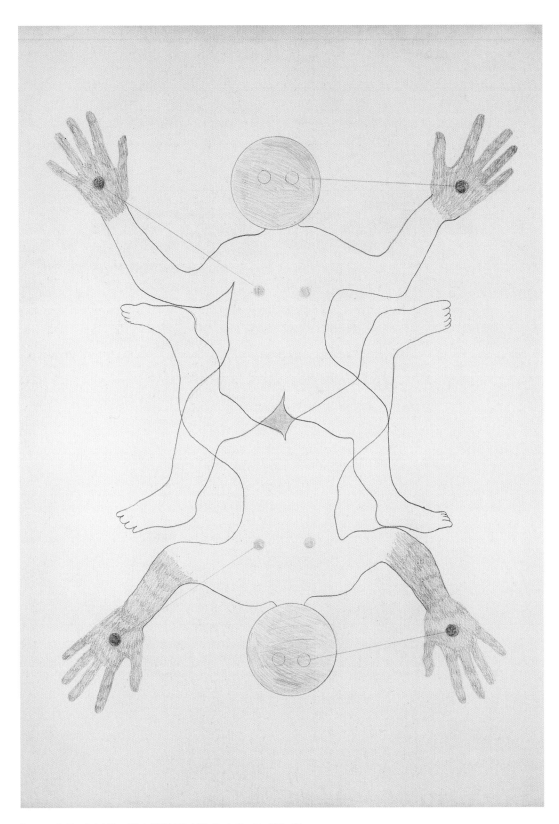

Rosemarie Trockel / Ohne Titel, 1987 / Bleistift, Pastellkreide, 130 x 94 cm

Rosemarie Trockel / Ohne Titel, 2000 / Bleistift, Buntstifte, 66,4 x 85 cm

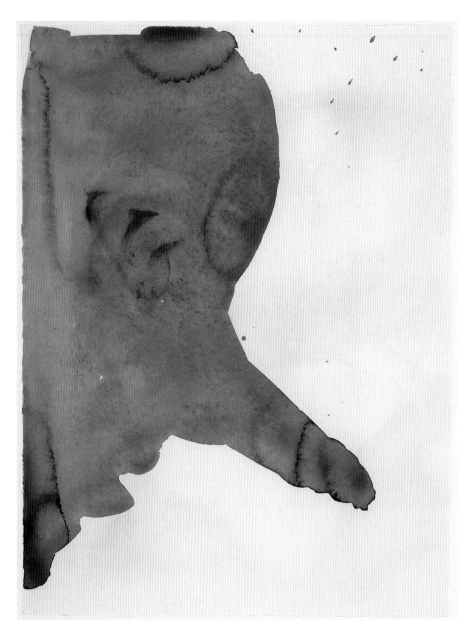

Rosemarie Trockel / Ohne Titel, 1987 / Acryl, 38 x 28,5 cm

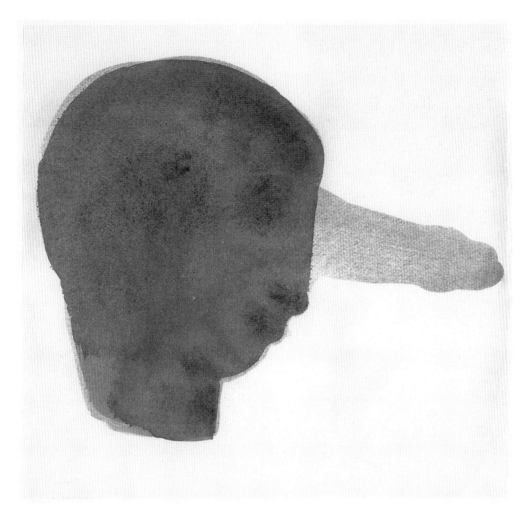

Rosemarie Trockel / Ohne Titel, 1988 / Acryl, 27 x 28,5 cm

Rosemarie Trockel / Ohne Titel, 1981 / Filzschreiber, Graphit, 11,4 x 15,8 cm

Rosemarie Trockel / Geld stört nie, 1991
Zinkguss, beklebt und beschriftet, 28,5 x 15,5 x 13,5 cm

Rosemarie Trockel / Integration of Shadow, 1991
Pappmaché und Farbe, 28,5 x 13,5 x 13,5 cm

Rosemarie Trockel / Herdplastik, 1989 / Stahl, Herdplatten, 80 x 50 x 30 cm

Rosemarie Trockel / Das Intus Legere durch die Sondergotik, 1988
Kupfer versilbert, holzverstärkte Pappkiste, Papier, 12,3 x 10,2 x 5,5 cm

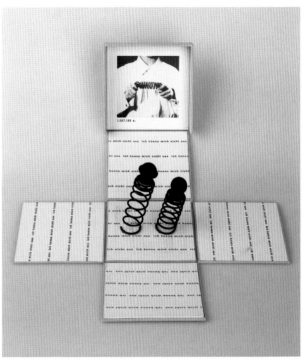

Rosemarie Trockel / Ich kenne mich nicht aus, 1988
Leinenbezogene aufklappbare Pappkiste, innen bedruckt,
2 Metallfedern, Gummistopfen, geschlossen 15,3 x 16,5 x 16,5 cm

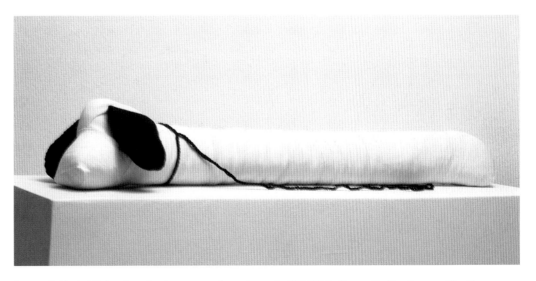

Rosemarie Trockel / Ich wollte schon immer etwas Besonderes sein, 1992 / Wolle, Baumwolle, Kunstfaser, ca. 90 x 13 cm

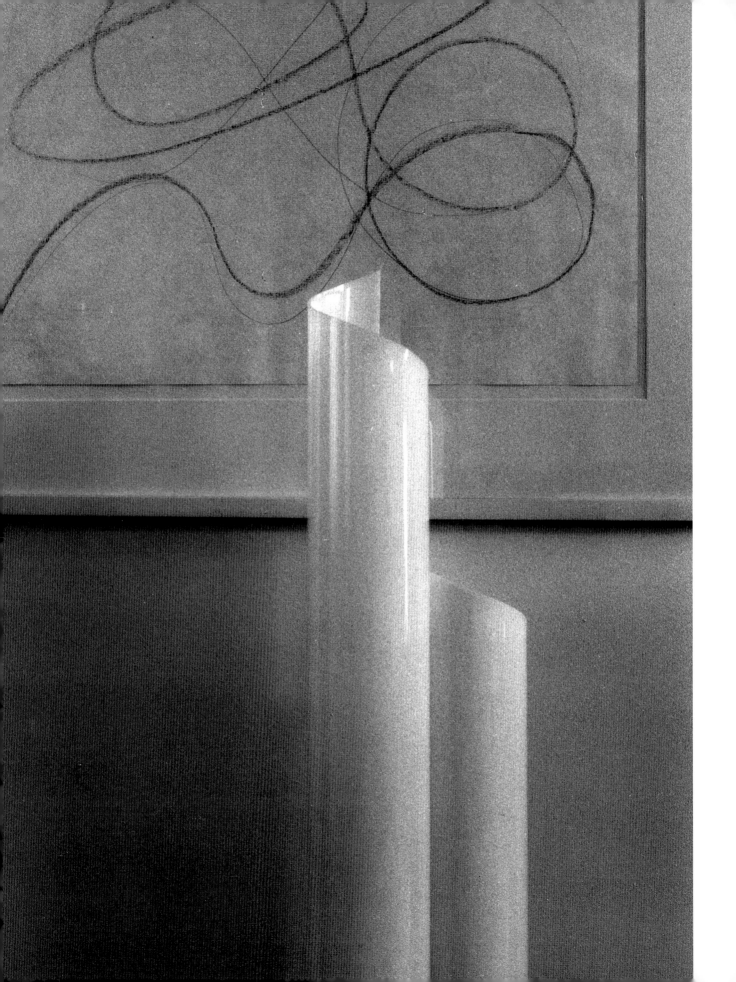

Dank

Wir danken all denjenigen, die sich um die Verwirklichung dieses Ausstellungsvorhabens verdient gemacht haben, den Mitarbeitern des Kupferstich-Kabinetts ebenso wie den Kollegen der Staatlichen Kunstsammlungen insgesamt. Nennen möchten wir vor allem Johannes Schmidt, aber auch Dr. Hans-Ulrich Lehmann, Dr. Wolfgang Ullrich, Peter Herbstreuth, Herbert Boswank, Denise Walther und den Kerber Verlag.

Besonderer Dank gebührt aber Doris und Klaus F. K. Schmidt. Für sie ist der Umgang mit Kunst ein essentieller Teil ihres Lebens, eine Möglichkeit, Wirklichkeit und Gegenwart zu leben und zu reflektieren. Die Kunst ist für sie kein Dekorum, sondern ein existentieller Spannungspol, sie ist produktive Reibung und Terrain persönlicher Selbstüberprüfung und Selbstfindung. Wir freuen uns und danken dem Sammlerpaar, dass sie unserem Publikum die Möglichkeit einräumen, am Reichtum ihrer wichtigen Sammlung teilzuhaben.

Prof. Dr. Martin Roth

Generaldirektor der Staatlichen Kunstsammlungen Dresden

Prof. Dr. Wolfgang Holler

Direktor des Kupferstich-Kabinetts Dresden

Alphabetisches Verzeichnis der abgebildeten Werke

Der Vermerk »bezeichnet« bezieht sich ausschließlich auf
eigenhändige Signaturen und Vermerke der Künstler.

Georg Baselitz
(Geb. 1938 in Deutschbaselitz/Sachsen,
lebt und arbeitet in Derneburg)

Ohne Titel, 1966 (Abb. S. 40)
Farbholzschnitt von drei Stöcken, 3. Zustand, 40,8 x 32,5 cm
Beschriftet unten rechts: Baselitz 67
Werkverzeichnis-Nr. Jahn 52

Birkenwald, 1975 (Abb. S. 44)
Kohle, Aquarell, Gouache, 69,8 x 49,3 cm
Beschriftet unten: G. Baselitz, 4.VIII.75

Sitzende (Elke-Akt), um 1975 (Abb. S. 45)
Öl auf Papier, 62 x 47,5 cm
Beschriftet unten links: G. Baselitz

Dresdner Frau (Abb. S. 42, 43)
Holzschnittfolge von fünf Blättern, 1989/90
Offsetpapier, 100 x 70 cm
Exemplar 4/30 arabisch und 6 römisch numerierten Exemplaren
Jeweils beschriftet unten links: 4/30 und rechts: Baselitz 90
Gedruckt von Elke Baselitz in Derneburg
· Dresdner Frau I, Stock 60,1 x 50,2 cm
· Dresdner Frau II, Stock 65,1 x 49 cm
· Dresdner Frau III, Stock 65 x 49 cm
· Dresdner Frau IV, Stock 65 x 49 cm
· Dresdner Frau V, Stock 65 x 49 cm

Dirk Bell
(Geb. 1969 in München, lebt und arbeitet in Berlin)

Ohne Titel, 2004 (Abb. S. 85)
Mischtechnik auf Papier, 165 x 157,8 cm
Werkverzeichnis-Nr. DB 446

Hans Ludwig Böhme
(Geb. 1945 in Coswig, lebt und arbeitet in Dresden)

W. B., 2001 (Abb. S. 20)
C-Print, 65,3 x 48,5 cm

Jan Brokof
(Geb. 1977 in Schwedt/Oder, lebt und arbeitet in Dresden)

Geh spielen, Junge, 2004 (Abb. S. 103)
Bleistift auf Papier, 40 x 40 cm

1. Mai, 2004 (Abb. S. 102)
Bleistift auf Papier, 17 x 24 cm

Spaziergang, 2004 (Abb. S. 103)
Tusche auf Papier, 25 x 25 cm

Hasenkäfig, 2003 (Abb. S. 102)
Holzschnitt, 65 x 65 cm
Beschriftet unten links: 1/3 »Hasenkäfig«
und rechts: Brokof 03, Exemplar 1/3

Tacita Dean
(Geb. 1965 in Canterbury, lebt und arbeitet in Berlin)

Mappe »The Russian Ending«, 2001 (Abb. S. 86–90)
20 Photogravüren, 19 je 58 x 83 cm und eine 83 x 58 cm
Beschriftet unten links mit fortlaufenden Nummern 1–20
und rechts: 19/35 Tacita Dean 2001
Exemplar 19/35, Peter Blum Edition
· Ship of Death (1)
· The Crimea (2)
· The Wrecking of the Ngahere (3)
· Erinnerung aus dem Weltkrieg (4)
· Ballon des Aérostiers de Campagne (5)
· The Sinking of the SS Plympton (6)
· Death of a Priest (7)
· La Bataille d'Arras (8)
· Götterdämmerung (9)
· Der Rückzug nach Verdun (10)
· Zur Letzten Ruhe (11)
· The Wreck of Worthing Pier (12)
· The Story of Minke the Whale (13)
· So They Sank Her! (14)
· The Life and Death of St. Bruno (15)
· Vesuvio (16)
· The Tragedy of Hughesovka Bridge (17)
· Die Explosion in dem Kanal (18)
· Beautiful Sheffield (19)
· Ein Sklave des Kapitals (20)

Dead Budgie, 2002 (Abb. S. 24, 25)
6 Photogravüren, 61 x 45 cm, 39 x 52 cm,
zweimal je 39,5 x 50,5 cm, 54 x 74 cm, 45 x 55 cm
Beschriftet jeweils unten rechts: 20/24
und links: Tacita Dean 2002
Exemplar 20/24

Thomas Demand
(Geb. 1964 in München, lebt und arbeitet in Berlin)

Grube/Pit, 1999 (Abb. S. 72)
C-Print, Diasec, 229 x 167 cm
Exemplar 5/6

Peter Doig
(Geb. 1959 in Edinburgh,
lebt und arbeitet in Port of Spain, Trinidad)

2005
4 Farblithographien
Jeweils beschriftet unten links: 8/35 und rechts: Doig 05
Exemplare 8/35
· Lapeyrouse Wall (Abb. S. 77)
  45,5 x 57 auf 50 x 63 cm
· Paragon (Abb. S. 77)
  57 x 45,5 auf 63 x 50 cm
· Curious (Abb. S. 76)
  57 x 45,5 auf 63 x 50 cm
· Ohne Titel (Abb. S. 76)
  57 x 45,5 auf 63 x 50 cm

Markus Draper
(Geb. 1969 in Görlitz, lebt und arbeitet in Berlin)

Rock your World #3, 2004 (Abb. S. 99)
Laserkopien, Collage, 65 x 50 cm
Verso beschriftet: rock your world #3 Draper 2004

Thin Skin #2, 2004 (Abb. S. 99)
Laserkopien, Collage, 40,5 x 29,0 cm
Verso beschriftet: TS #2

Thin Skin #4, 2004 (Abb. S. 100)
Laserkopien, Collage, 41,0 x 29,5 cm
Verso beschriftet: TS #4

Thin Skin #6, 2004 (Abb. S. 100)
Laserkopien, Collage, 41,5 x 29 cm
Verso beschriftet: TS #6

Edition der Sammlung Schmidt-Drenhaus 2005 (Abb. S. 101):
· Steilwand, 2005
  Photogravüre, 28,7 x 19,9 auf 38,7 x 28,2 cm
  Beschriftet unten: 1/50, STEILWAND, Draper 05,
  Dem Sammlerpaar Schmidt
· Schleife, 2005
  Photogravüre, 28,8 x 19,5 auf 38,7 x 28,2 cm
  Beschriftet unten: 1/50, SCHLEIFE, Draper 05,
  auch 2006 eine sichere Hand
· Kammer, 2005
  Photogravüre, 28,8 x 17,6 auf 38,7 x 28,2 cm
  Beschriftet unten: 1/50, KAMMER, Draper 05,
  + Gesundheit und Glück +
· Randlage, 2005
  Photogravüre, 28,7 x 19,9 auf 38,7 x 28,2 cm
  Beschriftet unten: 1/50, RANDLAGE, Draper 05,
  mit besten Wünschen, Markus D.

Martin Eder
(Geb. 1968 in Augsburg, lebt und arbeitet in Berlin)

YAMAMOTO, 2000 (Abb. S. 67)
C-Print, 91 x 61 cm
Verso beschriftet: Martin Eder 2000
Unikat

PRADA, 2000 (Abb. S. 67)
C-Print, 91 x 61 cm
Verso beschriftet: Martin Eder 2000
Unikat

...NICHTS, 2000 (Abb. S. 66)
C-Print, 91 x 61 cm
Verso beschriftet: Martin Eder 2000
Unikat

Günther Förg
(Geb. 1952 in Füssen/Allgäu, lebt und arbeitet in Areuse/Schweiz)

3 Masken, 1994 (Abb. S. 22, 23)
Bronze, Höhe je 60 cm, Grundplatten je 40 x 40 cm
Werkverzeichnis-Nrn. 47/94, 48/94 und 49/94
Exemplare III/III

Eberhard Havekost
(Geb. 1967 in Dresden, lebt und arbeitet in Berlin)

P.L.C. 1, 1998 (Abb. S. 48)
Gouache auf Papier auf Karton, 29,6 x 22 cm
Verso beschriftet: Havekost DD 98 P.L.C.1

P.L.C. 2, 1998 (Abb. S. 49)
Gouache über Laserkopie auf Karton, 29,6 x 22 cm
Verso beschriftet: Havekost DD 98 P.L.C.2

Zensur, 2005 (Abb. S. 46, 47)
Serie von 25 Inkjet-Prints auf Papier,
Blattmaß 29,6 x 21 cm; Bildmaße 1 = 6,35 x 4,25 cm;
2 = 10,9 x 5,9 cm; 3 = 6,95 x 10,8 cm; 4 = 9,95 x 5,7 cm;
5 = 3,95 x 2,1 cm; 6 = 4,45 x 2,95 cm; 7 = 10,9 x 4,35 cm;
8 = 6,25 x 3,35 cm; 9 = 6,2 x 7,45 cm; 10 = 14,95 x 17,7 cm;
11 = 5,25 x 9,4 cm; 12 = 5,4 x 2,7 cm; 13 = 7,45 x 4 cm;
14 = 13,6 x 6,05 cm; 15 = 8,95 x 3,5 cm; 16 = 6,35 x 5 cm;
17 = 6,25 x 4,7 cm; 18 = 5,45 x 3,5 cm; 19 = 8,95 x 6 cm;
20 = 12,5 x 5 cm; 21 = 5,4 x 3,5 cm; 22 = 8,95 x 5,9 cm;
23 = 7,45 x 5,5 cm; 24 = 8,95 x 4 cm; 25= 7,9 x 5,1 cm
Beschriftet jeweils unten links: 4/5, Mitte: Zensur +
Nr. (1 fälschlich als 2 beschriftet), rechts: HAVEKOST B05
Exemplare 4/5

Erich Heckel
(Döbeln 1883 – 1970 Radolfzell/Bodensee)

Hockende, 1913 (Abb. S. 34)
Holzschnitt, rechts 41,5 cm, links 36 x 30 cm
Beschriftet unten rechts: Erich Heckel 14
Werkverzeichnis-Nr. Dube 263 I

K. H. Hödicke (Karl Horst Hödicke)
(Geb. 1938 in Nürnberg, lebt und arbeitet in Berlin)

Der Sohn des Riesen, 1976 (Abb. S. 35)
Kohle auf Papier, 61 x 85,5 cm
Oben rechts ergänzt, beschriftet unten links: Hödicke

Halensee, 1976 (Abb. S. 31)
Kohle auf Papier, 61 x 85,5 cm
Beschriftet unten links: Hödicke 76

Die Schöne und das Biest, 1979 (Abb. S. 35)
Kohle und Gouache auf Papier, 61 x 85,5 cm
Beschriftet unten links: Hödicke 79

Candida Höfer
(Geb. 1944 in Eberswalde, lebt und arbeitet in Köln)

TV-Lounge Scarborough, 1980 (Abb. S. 74)
C-Print, 38 x 57 cm
Exemplar AP III/6 + 3AP

Kuranlage Baden-Baden, 1981 (Abb. S. 73)
C-Print, 38 x 57 cm
Verso auf Aufkleber beschriftet: Candida Höfer
Exemplar 4/6 + 3AP

Deutsches Hygiene Museum Dresden III, 2000 (Abb. S. 75)
C-Print, Bildmaß 60 x 60 cm
Exemplar 4/6 + 3 AP

Olaf Holzapfel
(Geb. 1969 in Görlitz, lebt und arbeitet in Berlin)

Handel, 2003 (Abb. S. 56)
Papier/Pappe, ca. 64 x 75 x 11 cm

Loud, 2004 (Abb. S. 57)
Inkjet-Print auf Papier, 42 x 29,7 cm
Verso beschriftet: Loud, Olaf Holzapfel 04, 2/12
Exemplar 2/12

Two Ducks, 2004 (Abb. S. 57)
Inkjet-Print auf Papier, 42 x 29,7 cm
Verso beschriftet: two Ducks, Olaf Holzapfel 04, 3/12
Exemplar 3/12

Benjamin Katz
(Geb. 1939 in Antwerpen, lebt und arbeitet in Köln)

Baselitz mit Handschuh, 1992 (Abb. S. 41)
Photographie auf Barytpapier, eigenhändiger Abzug 2005,
Bildmaß 124 x 86 cm
Verso beschriftet: 1/1
Unikat

Ernst Ludwig Kirchner
(Aschaffenburg 1880 – 1938 Frauenkirch-Wildboden/Schweiz)

Ansprachen II, 1914 (Abb. S. 33)
Radierung (Zinkätzung), 25,5 x 16,2 cm
Werkverzeichnis-Nr. Dube R 179
Nachdruck von der Originalplatte aus dem Besitz
der Staatlichen Kunsthalle Karlsruhe, 1979,
gedruckt von Anian Steinert, Weingarten
Beilage zu einer Vorzugsausgabe der von Roman Norbert Ketterer
herausgegebenen Kirchner-Monographie 1979

Jürgen Klauke
(Geb. 1943 in Kliding/Cochem an der Mosel,
lebt und arbeitet in Köln)

Dr. Müllers Sex Shop oder
So stell' ich mir die Liebe vor, 1977 (Abb. S. 64, 65)
13 teilige farbige Photosequenz
Installation 50 x 520 cm, Blattmaß je 50 x 40 cm,
Bildmaße 7 x 7 cm; 10 x 10 cm; 12,5 x 13 cm; 16 x 16,5 cm;
19 x 19 cm; 22 x 22; 25 x 24,8 cm; 31 x 31 cm; 34 x 34 cm;
37 x 36,5 cm; 40 x 40; 50 x 40 cm
Verso beschriftet: J. Klauke 1977 16/20
Exemplar 16/20

Barbara Kruger
(Geb. 1945 in Newark/USA,
lebt und arbeitet in New York und Los Angeles)

Ohne Titel (You transform prowess into pose), 1983 (Abb. S. 59)
Photographie, 185 x 120 cm

Ohne Titel (You, me, we), 2003 (Abb. S. 58)
Siebdruck auf Vinyl, 155 x 124 cm
Unikat

Louise Lawler
(Geb. 1947 in Bronxville, New York, lebt und arbeitet in New York)

C.S. # 204 (Cindy Sherman), 1990 (Abb. S. 60)
Cibachrome, 102 x 138,4 cm
Verso beschriftet: Louise Lawler 2/5 1990
Exemplar 2/5

Federal Offense, 1999 (Abb. S. 60)
Cibachrome, Diasec, 102 x 127 cm
Verso beschriftet: Louise Lawler 3/5 1997/99
Exemplar 3/5

Markus Lüpertz
(Geb. 1941 in Liberec/Böhmen, lebt und arbeitet in Düsseldorf)

Ohne Titel (Dithyrambe), 1964 (Abb. S. 37)
Wachskreide, 21,3 x 29,7 cm
Beschriftet oben rechts: MARKUS

Ohne Titel (Babylon Zentaur dithyrambisch), 1975–76 (Abb. S. 37)
Schwarze Kreide, Gouache, 85,4 x 60,5 cm
Beschriftet unten rechts: MARKUS

Ohne Titel (zu »Amor und Psyche«), 1979 (Abb. S. 36)
Kohle, Kreide und Gouache auf Papier, 61,8 x 44,2 cm
Beschriftet oben links: MARKUS

Jonathan Meese
(Geb. 1970 in Tokio, lebt und arbeitet in Berlin)

3 Burschis, 1993–94 (Abb. S. 94)
Gouache auf Papier, 41,5 x 29,5 cm
Werkverzeichnis-Nr. MEEZ 617

Ohne Titel (Enthüllungen einer Person), 1995 (Abb. S. 95)
Kugelschreiber, Acryl auf Papier, 32 x 24 cm
Werkverzeichnis-Nr. MEEZ 846

Ohne Titel (Er war einfach zu stark), 1995 (Abb. S. 94)
Kugelschreiber, Acryl auf Papier, 32 x 24 cm,
große Fehlstelle unten rechts
Werkverzeichnis-Nr. MEEZ 834

Ohne Titel (Gib mir die Dinger so wie sie sind), 1995 (Abb. S. 93)
Acryl auf Papier, 32 x 24 cm
Werkverzeichnis-Nr. MEEZ 843

Ohne Titel (Kopf, rote Stirn und Nase), 1995 (Abb. S. 95)
Filzstift, Acryl auf Papier, 32 x 24 cm
Werkverzeichnis-Nr. MEEZ 835

Ohne Titel (Mr. Goldlippe), 1995 (Abb. S. 93)
Bleistift, Acryl auf Papier, 32 x 24 cm
Werkverzeichnis-Nr. MEEZ 841

Fünf Collagen aus: »Die Kapitano-Bligh-Serie«, 2002
· Ohne Titel (Abb. S. 97)
  Laserkopien, Photographien, Öl, Filzstift, Kugelschreiber,
  Bleistift, 42 x 29,2 cm
  Werkverzeichnis-Nr. MEE/Z 986/08

· Ohne Titel (Abb. S. 97)
  Laserkopien, Photographien, Öl, Filzstift, Kugelschreiber,
  Bleistift, 42 x 29,2 cm
  Werkverzeichnis-Nr. MEE/Z 986/20
· Ohne Titel (Abb. S. 97)
  Laserkopien, Photographien, Öl, Filzstift, Kugelschreiber,
  Bleistift, 42 x 29,2 cm
  Werkverzeichnis-Nr. MEE/Z 986/34
· Ohne Titel (Abb. S. 96)
  Laserkopien, Photographien, Öl, Filzstift, Kugelschreiber,
  Bleistift, 42 x 29,2 cm
  Werkverzeichnis-Nr. MEE/Z 986/60
· Ohne Titel (Abb. S. 97)
  Laserkopien, Photographien, Öl, Filzstift, Kugelschreiber,
  Bleistift, 42 x 29,2 cm
  Werkverzeichnis-Nr. MEE/Z 986/62

Archaeopteryx, 2003 (Abb. S. 92)
Bronze, 48,5 x 22 x 35 cm
Werkverzeichnis-Nr. MEE/S 63
Exemplar 1/3

DIE ERZVITRINERZ, 2005/06 (Abb. S. 98)
Vitrine, Öl, verschiedene Materialien, 100 x 70 x 100 cm
Werkverzeichnis-Nr. MEE/Vi 31

Helmut Middendorf
(Geb. 1953 in Dinklage, lebt und arbeitet in Berlin und Athen)

Großstadteingeborene 1, 1981 (Abb. S. 35)
Bleistift und schwarze Kreide auf Papier, 42 x 29,7 cm
Beschriftet unten links: Großstadteingeborene
und rechts: Middendorf 1981

Großstadteingeborene 2, 1981 (Abb. S. 31)
Schwarze Kreide auf Papier, 44,9 x 29,7 cm
Beschriftet unten links: »Großstadteingeborene«
und rechts: H. Middendorf 1981

Ohne Titel (Akt), 1982 (Abb. S. 32)
Schwarze Kreide auf gelblichem Papier, 39,6 x 30 cm
Beschriftet unten rechts: Middendorf 82

Otto Mueller
(Liebau/Schlesien 1874 – 1930 Breslau)

Zwei Badende im Bach, um 1922 (Abb. S. 30)
Farblithographie in Schwarz und Gelb auf Kupferdruckpapier,
25 x 17 cm auf 41 x 27 cm
Beschriftet unten rechts: Otto Mueller
Werkverzeichnis-Nr. Karsch 151/A
Auflage ca. 60 ungezählte Exemplare

Frank Nitsche
(Geb. 1964 in Görlitz, lebt und arbeitet in Berlin)

PODE, 2004 (Abb. S. 81)
Offset-Lithographie, 40 x 30 cm auf 46,6 x 34,8 cm
Beschriftet unten links: 4/50 und rechts: Nitsche 04
Edition der Städtischen Galerie Dresden 2004
Exemplar 4/33 + 17 A. P.

Ohne Titel, 2004 (Abb. S. 81)
Offset-Lithographie, 40 x 30 cm auf 46,6 x 34,8 cm
Beschriftet unten links: 1/100 und rechts: Nitsche 04
Edition der Sammlung Schmidt-Drenhaus 2004
Exemplar 1/100

4 Zeichnungen ohne Titel, 2006 (Abb. S. 80)
Bleistift, jeweils 20,9 x 26,9 cm
Verso beschriftet: FN 06

Emil Nolde
(Nolde/Schleswig 1867 – 1956 Sebüll)

Tändelei, 1917 (Abb. S. 32)
Holzschnitt, 31 x 23,7 cm auf 40,5 x 31,4 cm
Beschriftet unten links: III.12. und rechts: Emil Nolde
Werkverzeichnis-Nr. 134

Arnold Odermatt
(Geb. 1925 in Oberdorf, Kanton Nidwalden, Schweiz,
lebt in Stans in der Schweiz)

Hergiswil, Motiv 1601, 1961 (Abb. S. 71)
Photographie, 30 x 40 cm
Exemplar 7/8

Hergiswil, Motiv 30, 1966 (Abb. S. 71)
Photographie, 30 x 40 cm
Exemplar 3/8

Stansstad, Motiv 130, 1969 (Abb. S. 71)
Photographie, 40 x 30 cm
Exemplar 6/8

Buochs, Motiv 1711, 1979 (Abb. S. 70)
Photographie, 30 x 30 cm
Exemplar 6/8

A.R. Penck
(Geb. 1939 in Dresden, lebt und arbeitet in Berlin,
Düsseldorf, Dublin und New York)

Fünf Radierungen ohne Titel, 1989/90 (Abb. S. 38, 39)
Je 63 x 69,2 cm auf 84 x 80 cm
Beschriftet unten links: I – V, 28/30 und rechts: ar. penck,
links Prägestempel Radierwerkstatt Kurt Zein, Wien

Nina Pohl
(Geb. 1968 in Berlin, lebt und arbeitet in Düsseldorf)

Ohne Titel (Gemälde), 2005 (Abb. S. 91)
C-Print, Diasec, 257 x 185 cm

Sigmar Polke
(Geb. 1941 in Oels/Schlesien, lebt und arbeitet in Köln)

Kölner Bettler, 1972 (Abb. S. 69)
Folge von vier Offsetlithographien
Blatt I schwarz, 32 x 44 cm, Blattmaß 42,8 x 60,5 cm
Blatt II schwarz, 32 x 44 cm, Blattmaß 42,8 x 60,5 cm
Blatt III schwarz, braun, 32 x 44 cm, Blattmaß 42,8 x 60,5 cm
Blatt IV schwarz, violett, 33 x 44 cm, Blattmaß 42,8 x 60,5 cm
Beschriftet jeweils: X/XX

Thomas Ruff
(Geb. 1958 in Harmersbach/Schweiz,
lebt und arbeitet in Düsseldorf)

nudes fee 18, 2001 (Abb. S. 68)
Lambda Print, 112 x 142 cm
Verso beschriftet: Th. Ruff 3/5, 2001
Exemplar 3/5 + 2AP

Thomas Scheibitz
(Geb. 1968 in Radeberg, lebt und arbeitet in Berlin)

Ohne Titel, 2002 (Abb. S. 50)
Bemaltes Sperrholz, Plastik, bedrucktes Papier, Zeichenkarton,
Spray, ca. 49 x 40 x 21,5 cm

Folge von zehn Zeichnungen (Abb. S. 52, 53):
· Ohne Titel, 2005 (1)
  Bleistift, Filzstift, Kugelschreiber auf liniertem Papier,
  20,8 x 29,2 cm
  Beschriftet unten links: S.05 und oben rechts: GP
· Ohne Titel, 2003 (2)
  Kugelschreiber, Collage auf liniertem Papier, rechts gelocht
  Beschriftet unten rechts: S.03

· Ohne Titel, 2002 (3)
  Bleistift, Papier oben gelocht, 29,7 x 21 cm
  Beschriftet unten rechts: S.02
· Ohne Titel, 2005 (4)
  Kugelschreiber, Bleistift, Buntstift, 21 x 29,5 cm
  Beschriftet oben rechts: S.05
· Ohne Titel, 2001 (5)
  Kugelschreiber, Bleistift, Papier oben gelocht, 29,5 x 21 cm
  Beschriftet unten links: S.01
· Ohne Titel, 2004 (6)
  Kugelschreiber, Bleistift, Filzstift, Papier links unregelmäßig
  abgetrennt, 29,5 x 20,8 cm
  Beschriftet unten rechts: S.04, verso weitere Zeichnung
· Ohne Titel, 2004 (7)
  Kugelschreiber, Bleistift, Filzstift, 21,5 x 27,8 cm
  Beschriftet oben rechts: Scheibitz 04
· Ohne Titel, 2005 (8)
  Bleistift, Filzstift auf liniertem Papier, oben gelocht,
  21 x 29,5 cm
  Beschriftet unten rechts: S.05, verso weitere Zeichnung
· Ohne Titel, 2005 (9)
  Kugelschreiber, Bleistift, Filzstift auf liniertem Papier,
  29,6 x 20,2 cm
  Beschriftet unten links: S.05
· Ohne Titel, 2005 (10)
  Tusche, Bleistift, Collage, Papier oben gelocht, 28,2 x 21 cm
  Beschriftet unten links: S.05

Ohne Titel (GP 96), 2005 (Abb. S. 55)
Vinyl, Spray, Pigmentmarker, 225 x 155 cm

Ohne Titel (GP 99), 2005 (Abb. S. 54)
Vinyl, Spray, Pigmentmarker, 225 x 158 cm

Bettina Schöner
(Geb. 1970 in Dresden, seit 2005 auf Reisen)

Äußere Neustadt, Dresden, 1990/91 (Abb. S. 104, 105)
90 Photographien auf Baryt-Papier, je 30 x 21 cm auf 50 x 40 cm
bzw. 21 x 30 cm auf 40 x 50 cm

Thomas Schütte
(Geb. 1954 in Oldenburg, lebt und arbeitet in Düsseldorf)

Ohne Titel (Sophie), 2005 (Abb. S. 82–84)
Mappe mit 25 Nyloprints, Blattmaß je 76 x 56 cm
Beschriftet jeweils unten: Th Schütte 12/35 2005
Exemplare 12/35

Cindy Sherman
(Geb. 1954 in Glen Ridge, New Jersey,
lebt und arbeitet in New York)

Ohne Titel (The Son),
aus der Serie »Murder Mystery People«, 1976/2000 (Abb. S. 62)
Photographie, 25,4 x 20,3 cm
Verso beschriftet: Cindy Sherman 6/20, 1976/2000
Exemplar 6/20

Ohne Titel (The Daughter),
aus der Serie »Murder Mystery People«, 1976/2000 (Abb. S. 62)
Photographie, 25,4 x 20,3 cm
Verso beschriftet: Cindy Sherman 6/20, 1976/2000
Exemplar 6/20

Ohne Titel # 170,
aus der Serie »Fairy Tale Disasters«, 1987 (Abb. S. 61)
Cibachrome, 179,1 x 120,7 cm
Exemplar 4/6

Ohne Titel # 259,
aus der Serie »The Sex Pictures«, 1992 (Abb. S. 63)
Cibachrome, 152,4 x 101,6 cm
Verso beschriftet: Cindy Sherman 6/6 1992
Exemplar 6/6

Ohne Titel # 312,
aus der Serie »The Sex Pictures«, 1994 (Abb. S. 63)
Cibachrome, 154,9 x 105,4 cm
Verso beschriftet: Cindy Sherman 4/6 1994
Exemplar 4/6

Peter Stauss
(Geb. 1966 in Sigmaringen, lebt und arbeitet in Berlin)

Ohne Titel (1), 2001 (Abb. S. 78)
Bleistift, 27,8 x 21 cm

Ohne Titel (2), 2001 (Abb. S. 79)
Bleistift, 29,6 x 21 cm

Ohne Titel (3), 2001 (Abb. S. 78)
Bleistift, 28,8 x 21 cm

Zwei Zeichnungen, ohne Titel, 2002 (Abb. S. 79)
Tusche, je 19 x 28 cm

Rosemarie Trockel
(Geb. 1952 in Schwerte, lebt und arbeitet in Köln)

Ohne Titel, 1981 (Abb. S. 115)
Filzschreiber, Graphit auf Papier, 11,4 x 15,8 cm
Werkverzeichnis-Nr. RT 374

Ohne Titel, 1982 (Abb. S. 107)
Dispersion auf Papier, 21 x 29 cm
Werkverzeichnis-Nr. RT 366

Ohne Titel, 1982 (Abb. S. 107)
Dispersion und Graphit auf Papier, 21 x 29 cm
Werkverzeichnis-Nr. RT 367

Ohne Titel, 1982 (Abb. S. 109)
Gouache auf Papier, 20,5 x 14,5 cm

Ohne Titel, 1982 (Abb. S. 109)
Gouache auf Papier, 20,5 x 14,5 cm

Ohne Titel, um 1982 (Abb. S. 109)
Gouache, Acryl auf Papier, 10,5 x 14 cm

Ohne Titel, 1982 (Abb. S. 108)
Gouache auf Papier, 20,5 x 14,5 cm

Ohne Titel, um 1982 (Abb. S. 108)
Gouache, Acryl auf Papier, 29,5 x 20 cm

Ohne Titel, 1987 (Abb. S. 112)
Bleistift, Pastellkreide, 130 x 94 cm

Ohne Titel, 1987 (Abb. S. 114)
Acryl, 38 x 28,5 cm
Werkverzeichnis-Nr. RT 316

Ohne Titel, 1988 (Abb. S. 115)
Acryl, 27 x 28,5 cm
Werkverzeichnis-Nr. RT 317

Das Intus Legere durch die Sondergotik, 1988 (Abb. S. 117)
Silber, holzverstärkte Pappkiste, Papier, 12,3 x 10,2 x 5,5 cm
Auf der Kiste bedruckt und beschriftet: RTrockel

Ich kenne mich nicht aus, 1988 (Abb. S. 117)
Leinenbezogene aufklappbare Pappkiste,
innen bedruckt, 2 Metallfedern und Gummistopfen,
geschlossen 15,3 x 16,5 x 16,5 cm
Auf der Unterseite bedruckt und beschriftet: 15/21 RTrockel
Exemplar 15/21

Herdplastik, 1989 (Abb. S. 116)
Stahl, 2 Herdplatten, 80 x 50 x 30 cm
Werkverzeichnis Herdplastiken Nr. 5

Geld stört nie, 1991 (Abb. S. 110 und 116)
Zinkguss, mit Papier beklebt, in Pappkarton,
28,5 x 15,5 x 13,5 cm
Beschriftet und numeriert, Gießer Denkmalpflege Schwerin,
Verleger Klosterfelde G.K.E. Hamburg
Exemplar 8/9 (+ 3 e.a.)

Integration of Shadow, 1991 (Abb. S. 111 und 116)
Pappmaché, Farbe, 28,5 x 13,5 x 13,5 cm
Werkverzeichnis-Nr. RT 1645

Ich wollte schon immer etwas Besonderes sein, 1992 (Abb. S. 117)
Wolle, Baumwolle, Kunstfaser, ca. 90 x 13 cm
Exemplar 2/9

Ohne Titel (Rorschach), 1992 (Abb. S. 106)
Wolle, 130 x 115 cm
Verso beschriftet: R. Trockel
Auflage 2

Alice im Wunderland, 1995 (Abb. S. 111)
Serigraphie auf Bütten (Rives), 91 x 70 auf 101,5 x 80 cm
Auflage 60 + 8 A. P.

Alice im Wunderland, 1995 (Abb. S. 111)
Serigraphie und Übermalung, 101,5 x 80 cm
Werkverzeichnis-Nr. 1646

Alice im Wunderland, 1995 (Abb. S. 111)
Serigraphie und Übermalung, 101,5 x 80 cm
Werkverzeichnis-Nr. 1647

Alice im Wunderland, 1995 (Abb. S. 110)
Serigraphie, 91 x 70 auf 101,5 x 80 cm
Werkverzeichnis-Nr. 1648

Alice im Wunderland, 1995 (Abb. S. 110)
Serigraphie und Übermalung, 101,5 x 80 cm
Werkverzeichnis-Nr. 1649

Alice im Wunderland, 1995 (Abb. S. 110)
Serigraphie und Übermalung, 101,5 x 80 cm
Werkverzeichnis-Nr. 1650

Ohne Titel, 2000 (Abb. S. 113)
Bleistift, Buntstifte, 66,4 x 85 cm

Werner Lieberknecht / Sammlung Schmidt-Drenhaus, Dresden 2002 und Köln 2005 / Zwei Serien Photographien (Ausschnitte)

Impressum

Heile Welt – Werke aus der Sammlung Schmidt-Drenhaus, Teil 1
Ausstellung des Kupferstich-Kabinetts der Staatlichen Kunstsammlungen Dresden, Residenzschloss Dresden, 18. März bis 15. Mai 2006

Herausgeber
Johannes Schmidt für das Kupferstich-Kabinett, Staatliche Kunstsammlungen Dresden

Konzept und Redaktion
Johannes Schmidt

Autoren
Prof. Dr. Wolfgang Holler, Kupferstich-Kabinett, Staatliche Kunstsammlungen Dresden
Dr. Wolfgang Ullrich, München
Peter Herbstreuth, Berlin
Johannes Schmidt, Dresden

Gestaltung
Denise Walther, Heimatstuben, Dresden

Lektorat
Sven Müller, Dresden

Gesamtherstellung
Kerber Verlag, Bielefeld/Leipzig

Reproduktionen
DZA Satz & Bild GmbH, Altenburg

Bildnachweis
Herbert Boswank, Dresden (Titel; Abb. S. 22, 23, 30–33, 35, 38–40, 42–49, 56, 59, 62, 64–71, 73–79, 81–84, 86–90, 92–95, 99, 100, 102–105, 116 u.); *Hans Ludwig Böhme*, Dresden (S. 20); *Thomas Demand*, Berlin (S. 72); *Benjamin Katz*, Köln (S. 41); *Werner Lieberknecht*, Dresden (S. 8, 10/11, 12, 14/15, 27, 28, 118, 127); *Jochen Littkemann*, Berlin (S. 24, 25, 96–98); *Nina Pohl*, Düsseldorf (S. 91); *Bernhard Schaub*, Köln (S. 50, 54, 55, 57, 58, 60, 61, 63, 85, 101, 106–117); *Jens Ziehe*, Lepkowskie Studios Berlin (S. 52, 53)

Titelmotiv
Tacita Dean / »The Russian Ending«, 2001 / Nr. 18: »Die Explosion in dem Kanal«

Copyrights
© Kerber Verlag, Bielefeld; © Sammlung Schmidt-Drenhaus; © Kupferstich-Kabinett Dresden, Staatliche Kunstsammlungen Dresden; Künstler und Autoren; © für Erich Heckel: Nachlass Erich Heckel, D-78343 Hemmenhofen; © für Ernst Ludwig Kirchner: Dr. Wolfgang & Ingeborg Henze-Ketterer, Wichtrach/Bern; © für Emil Nolde: Stiftung Sebüll Ada und Emil Nolde; © für Thomas Demand, Martin Eder, K. H. Hödicke, Candida Höfer, Benjamin Katz, Jürgen Klauke, Arnold Odermatt, Thomas Ruff, Thomas Scheibitz, Thomas Schütte und Rosemarie Trockel: VG Bild-Kunst, Bonn 2006; © für Georg Baselitz, Markus Lüpertz, A.R. Penck: Courtesy Galerie Michael Werner, Köln und New York; © für Dirk Bell: Courtesy BQ Galerie, Köln; © für Jan Brokof: Courtesy Galerie Baer, Dresden; © für Tacita Dean: Courtesy Niels Borch Jensen Verlag und Galerie, Kopenhagen und Berlin; © für Thomas Demand, Barbara Kruger, Louise Lawler, Nina Pohl, Cindy Sherman, Thomas Scheibitz, Rosemarie Trockel: Courtesy Galerie Sprüth Magers, Köln; © für Peter Doig und Thomas Schütte: Courtesy Galerie Sabine Knust, München; © für Martin Eder: Courtesy Büro für Kunst, Dresden; © für Günther Förg: Courtesy Galerie Karlheinz Meyer, Karlsruhe; © für Eberhard Havekost, Olaf Holzapfel, Frank Nitsche: Courtesy Galerie Gebr. Lehmann, Dresden; © für K.H. Hödicke: Courtesy Galerie Gmyrek, Düsseldorf; © für Candida Höfer und Thomas Ruff: Courtesy Galerie Johnen & Schöttle, Köln; © für Jürgen Klauke und Sigmar Polke: Courtesy Galerie Heinz Holtmann, Köln; © für Jonathan Meese: Courtesy Contemporary Fine Arts, Berlin; © für Helmut Middendorf: Courtesy Galerie Buchmann, Basel; © für Arnold Odermatt: Courtesy Galerie Springer & Winckler, Berlin

ISBN 3-938025-71-9

Printed in Germany, 2006